Eeuwig zonder vrouwen

Amin Maalouf

Eeuwig zonder vrouwen

UIT HET FRANS VERTAALD
DOOR EEF GRATAMA

DE GEUS

De vertaalster ontving voor deze vertaling een subsidie van
de Stichting Fonds voor de Letteren

Oorspronkelijke titel *Le Premier siècle après Béatrice*,
verschenen bij Grasset

De eerste Nederlandse editie verscheen in 1993 bij Arena, Amsterdam
Vertaald door Eef Gratama

Omslagontwerp Mijke Wondergem
Omslagillustratie Alessandro Botticelli, *De geboorte van Venus*
Foto auteur © Ulf Andersen
Druk GGP Media GmbH, Pößneck
ISBN 90 445 0669 2
NUR 302

Verspreiding in België via Libridis NV, Industriepark-Noord 5a,
9100 Sint-Niklaas

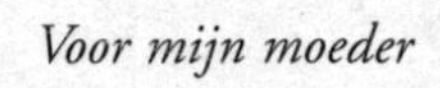
Voor mijn moeder

Je zit in de tuin van een herberg in de omgeving van Praag
Je bent intens gelukkig, op tafel staat een roos
Je stopt met schrijven, doet je pen omlaag
en kijkt naar de slapende tor in het hart van de roos

APOLLINAIRE
Alcools

A

Van de gebeurtenissen waarvan ik op deze bladzijden verslag zal doen, was ik slechts één van de vele getuigen; weliswaar heb ik ze van iets dichterbij meegemaakt dan het grote publiek, maar ik moest even machteloos toekijken. Ik weet dat mijn naam in de boeken is vermeld, vroeger gaf me dat een trots gevoel. Nu niet meer. De vlieg uit de fabel* kon juichen omdat de koets behouden was aangekomen, maar waarover had hij moeten opscheppen als de reis in de afgrond was geëindigd? Dat was namelijk, in werkelijkheid, de rol die mij ten deel viel – die van een overbodige en onfortuinlijke fladderaar. Maar ik was tenminste noch slachtoffer noch medeplichtige geweest.

Ik heb het avontuur nooit gezocht, maar soms heeft het mij opgejaagd. Als ik had kunnen kiezen, zou ik het hebben geïsoleerd in de enige wereld die mij vanaf mijn jeugd heeft geboeid en die me, terwijl ik mijn drieëntachtigste verjaardag net op passende wijze heb gevierd, blijft boeien: de wereld van de insecten, die opmerkelijke lilliputters, die in hun kleine gestalte zoveel bevalligheid, behendigheid en een eeuwenoude wijsheid bergen.

---

* Toespeling op een fabel van La Fontaine, *De vlieg en de koets*, waarin alle reizigers van een postkoets moeten uitstappen omdat de paarden de koets anders niet de berg op kunnen trekken. Dan komt er een vlieg aangevlogen die voortdurend om de paarden en de reizigers heen zoemt en veel drukte maakt, maar in feite nergens mee helpt. Als de koets eenmaal boven is aangekomen, klopt de vlieg zichzelf op de borst vanwege alle inspanning die hij zou hebben verricht om de koets vooruit te krijgen. Van deze fabel is een Franse uitdrukking afgeleid: *faire la mouche du coche*, anders gezegd: veel geschreeuw en weinig wol. (Noot v.d. vert.)

Wanneer ik met leken te doen heb, zeg ik er gewoonlijk voor alle duidelijkheid bij dat ik niet voor de insecten in de bres spring, in het geheel niet. Ten aanzien van de zogenaamde hoger ontwikkelde dieren die wij mensen reeds in een vroeg stadium hebben bedwongen en massaal hebben afgeslacht en waarover wij eens en voor al hebben getriomfeerd, kunnen we het ons nu permitteren ons grootmoedig op te stellen. Niet ten aanzien van de insecten. Tussen hen en ons gaat de strijd dagelijks onverbiddelijk door en niets wijst erop dat de mens er als overwinnaar uit tevoorschijn zal komen. De insecten waren al lang voor ons op deze aarde en ze zullen er ook na ons nog zijn, en wanneer wij in staat zullen zijn om verre planeten te verkennen, zullen we er eerder hun soortgenoten aantreffen dan de onze. Maar ik denk dat dat juist een bemoedigende gedachte voor ons zal zijn.

Zoals gezegd ben ik geen beschermer van insecten. Maar ontegenzeggelijk wel een van hun hardnekkige bewonderaars. Hoe kan het ook anders? Welk schepsel heeft ooit edeler stoffen voortgebracht dan zijde, honing of manna uit de Sinaï? De mens heeft altijd zijn uiterste best gedaan om de samenstelling en de smaak van deze insectenproducten na te maken. En wat te denken van de vlucht van de 'doodgewone' vlieg? Hoeveel eeuwen zal het nog duren voordat we die kunnen nabootsen? Om nog maar niet te spreken van de gedaanteverwisseling van een 'onbeduidende' larf.

Zo kan ik nog wel talloze voorbeelden opnoemen. Dat is niet mijn bedoeling. Op de hierna volgende bladzijden gaat het niet om mijn passie voor insecten, maar juist om de enige momenten in mijn leven waarop ik mij in de eerste plaats voor mensen heb geïnteresseerd.

Wie mij zo hoort praten, zou gemakkelijk kunnen denken dat ik een eenzelvige brompot ben. Dat is beslist niet waar. Mijn studenten hebben de beste herinneringen aan mij bewaard; mijn collega's hebben nauwelijks op mij afgegeven; af en toe heb ik me sociaal gedragen, zonder het te overdrijven; ik heb zelfs uit het niets twee of drie vriendschappen opgebouwd en onderhouden. Nog belangrijker is echter dat Clarence en vervolgens Béatrice in mijn leven zijn gekomen, maar over hen kom ik straks nog te spreken.

Laat ik, om kort te gaan en toch eerlijk te blijven, zeggen dat ik het gegons over de zorgen van alledag maar zelden heb kunnen aanhoren, maar dat ik voor de belangrijke discussies uit mijn tijd altijd een aandachtig oor heb gehad.

Ik heb de eeuw waarin mijn jeugd zich heeft afgespeeld tot aan het einde toe gekoesterd, met alles wat daarmee gepaard ging: onstuimig elan, naïeve angst voor het naderende millennium, de steeds oplaaiende discussie over kernenergie, en de vrees voor weer een nieuwe epidemie en voor die gaten van Damocles boven de polen. Het was een geweldige eeuw, mijns inziens de meest grootse eeuw, misschien wel de laatste werkelijk grootse eeuw, het was een eeuw waarin alle crises en problemen zich hebben voorgedaan; tegenwoordig, in de eeuw waarin ik mijn laatste levensdagen slijt, wordt alleen nog maar over oplossingen gesproken. Ik heb altijd gedacht dat problemen in de hemel waren uitgevonden en oplossingen in de hel. Problemen brengen ons in de war, drijven ons in het nauw, slaan ons uit het veld, halen de vaste grond onder onze voeten weg. Een heilzame verstoring van het evenwicht, want problemen zorgen ervoor dat alle soorten tot ontwikkeling komen, terwijl deze door oplossingen juist in hun evolutie worden gestremd en uitsterven. Is het toeval dat de ergste misdaad die wij ons kunnen heugen 'Endlösung' heet?

En alles wat ik tegenwoordig om mij heen zie, die verschrompelde, trieste, ontluisterde planeet, die golf van haat, die universele kilheid die alles omvat alsof er een nieuwe ijstijd is aangebroken: is dat niet de vrucht van een geniale 'oplossing'?

Toch was het einde van het millennium groots. Een verheven, aanstekelijke, verwoestende, Messiaanse roes. We geloofden allemaal dat Gods genade zich langzaam maar zeker over de hele aarde zou uitstrekken, dat alle volkeren weldra in vrede, vrijheid en welvaart zouden kunnen leven. Voortaan zou de geschiedenis niet meer geschreven worden door generaals, ideologen en despoten, maar door astrofysici en biologen. De verzadigde mensheid zou geen andere helden meer kennen dan uitvinders en komieken.

Ook ik heb deze hoop een tijdlang gekoesterd. Net als alle mensen van mijn generatie zou ik mijn schouders hebben opgehaald als men mij had voorspeld dat zoveel morele en technische vooruitgang omkeerbaar zou blijken te zijn, dat talloze informatiestromen weer zouden worden afgesloten, en dat er opnieuw overal muren zouden kunnen verrijzen; en dat alles door toedoen van een overal aanwezig maar onvermoed kwaad.

Door welke afschuwelijke speling van het lot is onze droom in duigen gevallen? Hoe zijn we zover gekomen? Waarom werd ik gedwongen de stad en ieder contact met de samenleving te ontvluchten? Wat ik hier zo getrouw en nauwkeurig mogelijk zou willen vertellen, is de langzame verspreiding van de plaag die ons vanaf het begin van de nieuwe eeuw in haar greep heeft en ons, naar mijn idee zowel door haar omvang als haar aard, in deze tomeloze achteruitgang meesleept.

Ondanks de verschrikkingen om mij heen, zal ik mijn best doen om mijn verhaal tot aan het eind toe in rust en kalmte op te schrijven. Momenteel voel ik me veilig in mijn schuilplaats hoog in de bergen, en mijn hand trilt nauwelijks boven dit oude, nog maagdelijke schrift waaraan ik de waarheid stukje bij beetje zal toevertrouwen. Nu ik bepaalde beelden uit het verleden naar boven haal, komt er zelfs weer een soort vrolijkheid over me, waardoor ik soms zelfs het drama vergeet waarvan ik verslag wilde doen. Maar is het niet een van de voordelen van schrijven dat je op dezelfde bladzijde zowel onbeduidende als uitzonderlijke dingen optekent? In een boek wordt alles teruggebracht tot de te verwaarlozen dikte van de letters die op het papier gedrukt zijn.

Maar deze inleiding heeft lang genoeg geduurd! Ik had me voorgenomen me bij de feiten te houden.

B

Het begon allemaal in Caïro, tijdens een studieweek in februari, vierenveertig jaar geleden – ik heb zelfs de dag en het uur opgeschreven. Maar wat heeft het voor zin om met data te schermen? Het is voldoende te zeggen dat het omstreeks het jaar met de drie nullen was. Schreef ik 'begon'? Voor mij dan, bedoelde ik, want volgens de historici gaat de ontstaansgeschiedenis van dit drama veel verder terug in de tijd. Ik bezie de zaak echter zuiver vanuit de optiek van de getuige: voor mij begon het toen ik er voor de eerste keer mee in aanraking kwam.

Dit begin van het verhaal wekt wellicht de indruk dat ik tot het ras van de grote ontdekkingsreizigers behoor: nu eens een ontmoeting aan de oevers van de Nijl, dan weer een uitstapje naar de Amazone of de Brahmaputra... Het tegendeel is waar. Ik heb het grootste gedeelte van mijn leven achter mijn bureau doorgebracht en reizen deed ik vooral tussen mijn tuin en mijn laboratorium. Daar heb ik overigens absoluut geen spijt van; telkens wanneer ik mij over mijn microscoop boog, begon voor mij een nieuwe reis.

En wanneer ik echt het vliegtuig nam, was het doel van mijn reis ook bijna altijd een insect van dichterbij te bekijken. Die ene reis naar Egypte had te maken met de scarabee of mestkever, echter in een context waarmee ik niet bekend was. De studiebijeenkomsten waaraan ik deelnam, gingen in het algemeen uitsluitend over landbouw of een epidemie. Eregasten waren de druifluis of de *propillia japonica*, de malariamug of de tseetseevlieg, ter illustratie van vervelende variaties op een stokoud thema: 'onze vijanden, de dieren'. De bijeenkomst in Caïro beloofde anders te worden. In de uitnodiging werd gesproken over – ik citeer – 'de belangrijke rol van de scarabee in de beschaving van het oude Egypte: kunst, religie, mythologie en legenden'.

Ik neem aan dat ik niemand iets nieuws vertel wanneer ik nog eens onder de aandacht breng dat de scarabee ten tijde van de farao's als een godheid werd vereerd. Dit gold in het bijzonder voor de beroemde soort die daarom dan ook bekendstaat als de 'heilige mestkever', de *scarabeus sacer*, maar ook meer in het algemeen voor alle variëteiten van dit sterke insect. Men geloofde dat het met magische krachten begiftigd was en de sleutel tot de grote mysteries van het leven bewaarde. Gedurende mijn hele studietijd was het me keer op keer door elke professor op zijn eigen manier verteld, en zodra ik mijn eigen laboratorium in het Muséum d'Histoire naturelle naast de Jardin des Plantes had gekregen, werden mijn leerlingen op hun beurt eenmaal per jaar getrakteerd op het enthousiaste en meeslepende verhaal over de scarabee. Kunt u zich voorstellen wat het betekent voor een specialist op het gebied van kevers om te weten dat Ramses II voor een van die kleine, drek etende beestjes op de knieën ging? De verering van de scarabee was zelfs buiten de grenzen van Egypte verbreid naar Griekenland, Phoenicië en Mesopotamië; Romeinse legioensoldaten hadden de gewoonte opgevat om in hun sabelknop de gedaante van een scarabee te kerven en de Etrusken vervaardigden sierlijke juwelen van amethist met zijn afbeelding.

Zoals gezegd is de mestkever in mijn vakgebied een beroemdheid, zijn naam een adelbrief. Ik zou haast zeggen een eerbiedwaardige voorouder. En vanzelfsprekend heb ik een aantal lezingen en onderzoeken daaraan gewijd, ik kon hem niet in hetzelfde hokje duwen als de kakkerlak die je in voorraadschuren aantreft; niet alle insecten worden in dezelfde drek geboren.

Hoewel ik diepgaand onderzoek had gedaan, voelde ik me direct al zeer slecht op mijn plaats op de studiebijeenkomst in Caïro. Van de vijfentwintig deelnemers afkomstig uit acht verschillende landen, was ik de enige die geen hiërogliefen kon lezen, die niet in staat was om alle Tothmes en Amenhoteps op te sommen, en bovendien was ik de enige die het Sahidische en het Sub-achmimische dialect van het Koptisch niet kende – laat niemand het in zijn hoofd halen om me te vragen wat dat inhoudt, want ik heb er sindsdien nooit meer iets over gehoord, maar ik geloof dat de spelling correct is.

Alsof ze hadden afgesproken om mij te vernederen, hadden alle mensen die een lezing hielden hun betogen doorspekt met uitdrukkingen die betrekking hadden op de farao's en die klaarblijkelijk erg grappig waren, maar natuurlijk dacht niemand eraan een vertaling te geven; dat deed men in die kringen niet, het zou immers ongepast zijn om de eruditie van de toehoorders op die manier in twijfel te trekken.

Toen het mijn beurt was, begon ik, gedeeltelijk bij wijze van grap, met te zeggen dat ik noch egyptoloog noch archeoloog was en geen enkel Koptisch dialect kende, maar toch niet helemaal onkundig was, aangezien mijn specialisme betrekking had op de driehonderdzestigduizend soorten kevers die op dat moment waren beschreven, een derde van alle levende wezens – dat is toch niet niks. Men vergeve mij deze opwelling van opschepperij, dat ligt geheel niet in mijn aard, maar ik had dat die dag absoluut nodig om het beklemmende gevoel kwijt te raken dat ik een soort analfabeet was!

Nadat ik deze verduidelijking had gegeven en stiekem naar de gezichten van mijn toehoorders had gekeken om te zien hoe ze erop reageerden, kon ik met mijn onderwerp beginnen, een beschrijving van de eetgewoonten en het voortplantingsgedrag van de mestkever, om een beter inzicht te geven in wat er in de ogen van de farao's en hun onderdanen zo prikkelend, mysterieus en leerzaam aan de gedragingen van dit insect kon zijn geweest.

Het behoeft nauwelijks betoog dat de oude Egyptenaren, zelfs vierduizend jaar voor ons, geen primitief volk waren. Ze hadden de Grote Piramide al gebouwd, en als ze zich vol verbazing hadden gebogen over een insect dat met de mest van buffels in de weer was, moeten we hun verwondering met eerbied in beschouwing nemen.

Wat deed de mestkever? Of liever gezegd: wat dóét hij, aangezien de verering die hem ten deel viel zijn gedrag in geen enkel opzicht heeft veranderd.

Met zijn voorpoten breekt hij een stuk mest af, dat hij voor zich uit rolt om het in een ronde vorm samen te persen. Daarvoor heeft hij eerst een gat in de grond gemaakt en wanneer hij zijn bolletje heeft gekneed, duwt hij het in dat gat, of – en dat is het eerste wonder – in plaats van het rechtstreeks naar het gat te brengen, duwt hij het eerst de andere kant een klein zandhoopje op en wanneer hij het daar bovenop heeft gekregen, laat hij het los zodat het naar beneden rolt en meteen in het gat terechtkomt.

Dat doet denken aan Sisyphus; een van de bekendste variëteiten van de mestkever wordt inderdaad *sisyphus* genoemd, maar de Egyptenaren hebben er een andere mythe, een ander zinnebeeld in gezien. Het is namelijk zo dat wanneer het bolletje eenmaal goed en wel in het gat zit, de mestkever er de vorm van een peer aan geeft om er zeker van te zijn dat het niet meer kan verschuiven; vervolgens legt hij in het smalle uiteinde een eitje waaruit een larf zal komen. Als de larf geboren is, kan deze zich voeden met wat hij in het bolletje vindt en zo in zijn onderhoud voorzien totdat hij volgroeid is; dat wil zeggen, totdat een nieuwe mestkever zijn 'cocon' zal verlaten om dezelfde handelingen te herhalen...

Dat rollende bolletje is volgens de Egyptenaren het symbool van de baan die de zon langs het firmament maakt, en de mestkevers die hun doodskisten van drek openbreken, symboliseren de opstanding uit de dood. Zijn de piramiden niet reusachtige, gestileerde peren van mest? En hoopte men niet dat de overledene, net als de scarabee, er op een dag verkwikt uit tevoorschijn zou komen om zijn werk te hervatten?

Als de toehoorders tijdens mijn lezing nog niet helemaal aan hun trekken waren gekomen, konden ze hun hart ophalen aan de lezing die daarna werd gehouden door een briljante Deense egyptoloog, professor Christensen, die mijn verhaal onderschreef en er op doorborduurde.

Na mij beleefd te hebben bedankt voor de natuurhistorische details die ik naar voren had gebracht, ging hij nog veel dieper in op het symbolische aspect. Hij legde uit dat sinds de scarabee verondersteld werd de rol van boodschapper van de opstanding te vervullen, hem zowel in de gevestigde godsdienst als in het volksgeloof allerlei deugden werden toegeschreven. Men had hem verheven tot symbool van onsterfelijkheid, dus van vitaliteit, gezondheid en vruchtbaarheid. Er waren scarabeeën van steen gemaakt die in de sarcofagen werden geplaatst, en ook van gebakken klei, die als zegel dienden.

'Een zegel', zo merkte de professor op, 'wordt onder aan een document geplaatst om de echtheid ervan te verzekeren en de onschendbaarheid en de duurzaamheid ervan te garanderen. Als symbool van de eeuwigheid was de scarabee bij uitstek geschikt voor dit gebruik. En als de farao's weer tot leven konden komen, zouden ze constateren dat hun waardevolle archiefstukken die duizenden jaren lang op papyrus waren verzameld, weliswaar allemaal tot stof waren vergaan, maar dat de zegels van gebakken klei de tand des tijds hadden doorstaan. Het heilige insect heeft zich op zijn manier aan zijn belofte van onsterfelijkheid gehouden.'

Er zijn duizenden van deze keverstempels teruggevonden en de egyptologen hebben er een schat aan informatie aan ontleend. De Deen, die de indruk gaf ieder voorwerp in alle musea ter wereld, van Chicago tot Tasjkent, onder de loep te hebben genomen, had voor ons alle handtekeningen geïnventariseerd, van farao's, schatkistbewaarders of priesters van Osiris, evenals de begeleidende goede wensen. Eén daarvan kwam onophoudelijk terug als een soort bezwering: 'Moge je naam eeuwig blijven bestaan en moge je een zoon worden geboren!'

Om zijn gehoor wat verstrooiing te bieden, omdat het anders genoeg zou krijgen van deze herhaling van formules, haalde Christensen plotseling een kartonnen doosje uit zijn zak, hield het tussen duim en wijsvinger vast en zwaaide het voor onze ogen heen en weer. Aan het slot van een lezing waarin voortdurend sprake was geweest van goud, smaragd, gemmen en zettingen, had dit voorwerp van grove en recente makelij iets storends. Dat was precies het effect dat de Deen had beoogd.

'Dit heb ik gisteravond gekocht op Maydan at-Tahrir, het grote plein in Caïro. Kijk, het zijn platgemaakte capsules in de vorm van grote bonen, die de "bonen van de scarabee" worden genoemd. Er zit poeder in en op de bijsluiter staat dat de man die dit inneemt, zijn potentie verhoogt en dat zijn hartstocht bovendien beloond zal worden met de geboorte van een zoon.'

Ondertussen had de egyptoloog een van de bonen verbrijzeld en het poeder op de tekst van zijn lezing laten vallen. 'Zoals u ziet, dichten sommigen van onze tijdgenoten de scarabee dezelfde magische deugden toe als men vroeger deed. Overigens is de fabrikant geen domme jongen, want de beeltenis van een scarabee is hier zeer goed weergegeven – dat moet gezegd – evenals de vertaling in het Arabisch en in het Engels van de voorouderlijke formule die u van nu af aan uit uw hoofd kent: "Moge je naam eeuwig blijven bestaan en moge je een zoon worden geboren!"'

Iedereen barstte in lachen uit, wat Christensen als een bedreven komediant met een autoritair handgebaar en een opgetrokken wenkbrauw deed verstommen, alsof hij op het punt stond om een belangrijke wetenschappelijke verklaring af te leggen: 'Ik voel me verplicht u mede te delen dat deze bonen mij honderd dollar hebben gekost. Ik geloof niet dat dat de normale prijs is, maar ik had het biljet al uit mijn portefeuille gehaald en de schavuit die deze waar verkocht, heeft het met een engelachtige glimlach uit mijn hand gepakt en zich vervolgens uit de voeten gemaakt. Ik denk dat de boekhouder van de universiteit van Århus me deze uitgave nooit zal willen vergoeden!'

Diezelfde avond nog begaf ik me naar Maydan at-Tahrir, vastbesloten om niet terug te gaan zonder, bij wijze van souvenir, 'mijn eigen' exemplaar van de 'bonen van de scarabee' te hebben bemachtigd, en even vastbesloten om me niet te laten oplichten. Voordat ik mijn hotelkamer verliet nam ik een biljet van tien dollar uit mijn portefeuille, stopte dat in mijn zak en knoopte vervolgens mijn jasje zorgvuldig dicht.

Aldus voorbereid kon ik mij wagen op het immense, sfeervolle plein met een wirwar van loopbruggen die bedoeld waren om het gekrioel van de menigte te beperken, maar dit alleen maar erger maakten omdat er een derde dimensie aan werd toegevoegd. In deze reusachtige, dicht opeengepakte massa van rondslenterende soldaten en bedrijvige beambten, in deze jungle van nieuwsgierige mensen, boeven, bedelaars en handelaars in allerlei zaken, was ik op zoek naar mijn verkoper van capsules, of liever gezegd, probeerde ik, door een onnozel gezicht te trekken, er zo toeristisch mogelijk uit te zien zodat hij vanzelf op me zou afkomen.

Binnen een paar minuten werd ik door twee jonge verkopers opgemerkt. De jongste van de twee stopte me ongevraagd een doosje in de hand; ik zwaaide met mijn biljet van tien dollar, vastbesloten te doen alsof ik oprecht geïrriteerd was als hij meer zou willen hebben. Tot mijn grote verbazing stak hij zijn hand in zijn zak om me wisselgeld te geven. Ik maakte hem duidelijk dat hij de rest kon houden, maar hij stond erop mij 'tot op de laatste cent' het verschuldigde bedrag terug te geven. Waarom zou ik zo'n loffelijk streven ontmoedigen? Ik wachtte dus braaf, midden in het gedrang en het kabaal, totdat hij moeizaam het terug te geven bedrag in de palm van zijn hand had verzameld. Het waren slechts vederlichte muntjes, maar het gaat om het gebaar, nietwaar? Ik bedankte hem met een klop op zijn schouder en keerde terug naar het hotel, op zoek naar mijn Deense vriend.

Ik trof hem in de bar achter een glas bier uit zijn eigen land. Terwijl ik hem trots mijn nieuwe aanwinst toonde, vertelde ik hem hoeveel ik er precies voor had betaald. Hij prees me om mijn handigheid en beklaagde zich over de enorme naïviteit die hij zodra hij op reis was aan den dag legde, en toen hij aanstalten maakte om zijn consumptie te betalen, verzocht ik hem minzaam dat aan mij over te laten: 'U hebt vandaag al genoeg betaald.'

Ik maakte mijn jasje open. Niets. Mijn portefeuille was verdwenen.

Ik zou dit lachwekkende en weinig roemvolle voorval waarschijnlijk niet hebben verteld als het de verdere loop van de gebeurtenissen niet had beïnvloed.

Het verhaal dat Christensen over deze capsules had gehouden had me namelijk zo geamuseerd dat ik me had voorgenomen om deze anekdote aan mijn leerlingen en collega's te vertellen als ik weer terug was in Parijs. Een typisch academisch grapje, zult u zeggen. Dat geef ik toe, maar daar gaat het niet om: de 'bonen van de scarabee' zouden dan in een paar uur tijd door het hele museum de ronde hebben gedaan en onder de lachende toehoorders zou er ten minste wel één persoon zijn geweest die de zaak nader zou zijn gaan onderzoeken. Daardoor zou het mysterie misschien op tijd zijn verklaard en had het drama kunnen worden voorkomen...

In plaats daarvan haastte ik me om direct na mijn thuiskomst het vermaledijde voorwerp in een rommella te gooien in de hoop dit stoffelijke bewijs van mijn onnozelheid nooit meer terug te zien.

Tien dagen later dacht ik er niet meer aan. Nooit heeft verdiend of verspild geld me langdurig vreugde of ergernis bezorgd. Maar op het moment zelf was ik buiten mezelf van woede. Ik was van plan geweest om antiquarische boeken te kopen bij een mij aanbevolen boekhandel in de Qasr-an-Nilstraat; ook had ik in de hal van het hotel een schitterende afbeelding gezien van een scarabee op traditioneel vervaardigd papyrus, die ik bij thuiskomst zou hebben ingelijst. Aangezien ik geen enkel betaalmiddel meer had, moest ik van deze aankopen afzien en was ik gedwongen om de laatste dag van de reis, die we voor onszelf hadden, in mijn hotelkamer door te brengen met het lezen en herlezen van de teksten van het seminarium.

De 'bonen van de scarabee' bleven dus weggemoffeld in die lade, en ook wat mijn hersenpan betreft, in een donker vergeethoekje, om er helaas pas veel later uit tevoorschijn te komen.

In de tussentijd vond de komst – ik had bijna geschreven de intrede – van Clarence plaats.

C

Het was op een maandag, weliswaar de eerste maandag sinds mijn terugkomst uit Caïro, maar ik had mijn gebruikelijke leefpatroon weer helemaal opgenomen en was al mijn herinneringen aan de reis vergeten. En toen professor Hubert Favre-Ponti me in zijn witte laboratoriumjas zijn wekelijkse bezoek kwam brengen, met in iedere hand een dampende beker koffie, ging het helemaal niet over scarabeeën of over egyptologie, maar over journalisten en treksprinkhanen.

Over sprinkhanen omdat mijn collega van deze plaag zijn specialisme had gemaakt, en over journalisten omdat telkens wanneer er een streek was verwoest – meestal in de Sahel en gemiddeld eens per drie jaar in de herfst – Favre-Ponti degene was die men vragen kwam stellen. Op dat punt leek hij ten onrechte bevoorrecht in de ogen van veel collega's die net als ik een onderzoeksonderwerp hadden gekozen dat minder schadelijk voor de mensheid was, en die daardoor gedoemd waren hun loopbaan, hoe briljant deze ook mocht zijn, in volslagen onbekendheid te vervolgen.

Als Favre-Ponti zich al bewust was van het geluk dat hem ten deel viel en van de jaloezie die hij opwekte, liet hij dat volstrekt niet blijken. Wanneer 'zijn' plaag zich voordeed, bracht hij de helft van zijn tijd door met het ontvangen van de pers en de andere helft met zich daarover te beklagen.

'Het is namelijk zo, beste collega, dat je een jonge blaag voor je hebt van de leeftijd van je studenten, en zodra je op de kern van de zaak ingaat, houdt hij op met aantekeningen maken, gaat het plafond en de boekenplanken bestuderen of onderbreekt je midden in een woord om op iets anders over te gaan. Bovendien weet je nooit wat voor stommiteiten hij je de volgende dag in de mond zal leggen. Wanneer jij het hebt gehad over "*acridiidae* in de gregarische fase" laat hij je praten over "een wolk sprinkhanen".'

Misschien probeerde Favre-Ponti alleen maar zijn bevoorrechte positie af te zwakken om de toorn van zijn collega's van zich af te wentelen, maar die ochtend kwam zijn verhaal slechts op me over als irritant ijdel gepraat, op het onbetamelijke af. Zonder onbeleefd te worden, had ik hem op zijn plaats willen zetten.

'Ik heb zelf niet vaak met de pers gesproken, maar dat komt alleen omdat me dat niet is gevraagd. De weinige keren dat de journalisten zich voor mij hebben willen interesseren, heb ik hen graag te woord gestaan. Een beetje om mijn ego te strelen, zoals ieder ander, maar dat was niet de enige reden. Ik ben altijd van mening geweest dat ik me, bij wijze van zuivering van de geest, zo vaak mogelijk moest richten tot een publiek dat me niet slaafs aanhoorde en dat niet aan het eind van het jaar op een cijfer van mij zat te wachten. Op die manier haal je je verbale afwijkingen eruit en kan je je jargon bijschaven. Ik zou het niet erg vinden om "sprinkhanen" in plaats van "acridiidae" te zeggen. Ik zou het niet tegen entomologiestudenten zeggen, maar tegen het grote publiek, ach, waarom niet?'

'Dus jij zou het rustig hebben over "een wolk sprinkhanen die hun roofzuchtige blik richten op de aanlokkelijke groene weiden"? Nou, ga je gang, zeg het maar. Om elf uur komt er een journaliste bij me, ik zal haar naar jou toe sturen. Heus, ik meen het, ik stuur haar naar jou toe.'

'Geen gekheid, Hubert, je weet heel goed dat ik geen specialist ben.'

'Geloof je werkelijk dat ze ook maar enig verschil zal opmerken?'

Ik weet niet zeker of die woorden of het bijbehorende pruilgezicht een compliment, hoe klein ook, aan mijn adres betekenden. Mijn collega haastte zich trouwens zijn lege beker met een laatdunkend gebaar in mijn prullenmand te gooien en vervolgens schaterend mijn kamer te verlaten.

Ik probeerde hem niet tegen te houden. Hij had me de handschoen met geveinsd genoegen toegeworpen; met evenveel genoegen nam ik hem op.

Zo gebeurde het dat Clarence in mijn leven kwam, om drie minuten over elf, met de complimenten van professor Favre-Ponti, die 'verhinderd' was. Dat niet-slaafse, kritische gehoor waarom ik zelf had gevraagd, zou ik mijn hele leven aan mijn zijde houden. Kritisch maar niet denigrerend. En vooral onvermoeibaar.

Ik zie mezelf genoopt om hier het woord 'liefde' ter sprake te brengen, hoewel dat even weinig wetenschappelijk is als 'sprinkhanen'...

Voor die tijd had ik maar één persoon ontmoet die Clarence heette en dat was een man, een zeer geleerde en zeer oude Schotse entomoloog; mijn Clarence was minder geleerd en minder oud. En zeer vrouwelijk...

Ik herinner me dat ik eerst naar haar lippen heb gekeken, donkerroze bootjes met hun steven naar de verte gericht zoals op sommige Egyptische fresco's. Vervolgens heb ik langdurig haar schouders bestudeerd. Mijn blik blijft altijd op de schouders rusten, want die zijn van invloed op de sierlijkheid van de armen, de hals, de borst en de huid; die bepalen de gang, de lichaamshouding, de stand van het hoofd, de harmonie van vormen en bewegingen – kortom, de schoonheid. Mijn bezoekster droeg een trui van stralend witte, maar vervilte angorawol, die aan weerszijden over haar bovenarmen zakte en van haar prachtige, trotse, gladde, bruine en blote schouders afgleed. Schouders die gracieus ontbloot zijn, als een soort kuise offerande, wekken altijd een stormachtige tederheid in mij op, de lust om ze eindeloos te strelen en de begeerte om ze te omarmen.

Ondanks alles wat ik zojuist heb opgeschreven, zou ik nauwelijks liegen als ik zou beweren dat de schoonheid van Clarence van weinig invloed is geweest op onze verdere betrekkingen. Niet dat ik ongevoelig ben voor esthetiek of dat ooit ben geweest, mijn hemel, nee! Maar het enige wat mij langdurig kan bekoren, is een intelligent gemoed – een godsgeschenk als het is gehuld in schoonheid, aandoenlijk als het dat moet ontberen.

Toen 'de journaliste' kwam, dacht ik uitsluitend aan mijn weddenschap met Favre-Ponti. Ik had daarom de korte tijd voor het onderhoud besteed aan het uitdenken van wat ik zou gaan zeggen, in welke volgorde, en hoe ik het zou formuleren. Mijn verhaal moest enerzijds begrijpelijk zijn voor het publiek en anderzijds onweerlegbaar klinken in de kritische oren van mijn collega's, want ik wist dat de kleinste verspreking me zou worden aangewreven.

Clarence was tegenover mij gaan zitten, de knieën tegen elkaar gedrukt, zoals de meest verlegen meisjes onder mijn studenten. Maar in mijn ogen was zij de examinator. En toen ze, net als die snotapen die mijn collega zo irriteerden, plotseling ophield met aantekeningen maken, was ik helemaal van mijn stuk gebracht. De woorden stokten in mijn keel. Ik raffelde mijn bezielde betoog in twee korte zinnetjes af en stamelde: '...maar misschien dwaal ik te ver af van wat uw lezers interesseert.'

'Absoluut niet, maakt u zich geen zorgen.'

Ik boog me over mijn bureau heen om ostentatief naar haar blocnote te kijken.

'Als er een woord is dat u niet begrijpt, zeg het me dan gerust. Ik kan me soms moeilijk van mijn vakjargon losmaken, ziet u.'

'Uw verhaal is me volstrekt duidelijk, gaat u toch vooral door.'

Haar glimlach was stralend en haar oprechte protest pijnlijk. Alleen betekende haar opmerking 'Gaat u toch vooral door!' niet 'Gaat u verder met uw betoog, ik vind het interessant', maar eerder 'Zet de muziek niet af, ze klinkt me aangenaam in de oren'. Ze had me 'decoratief' en mijn stem 'melodieus' gevonden, biechtte ze me later op; op het moment zelf had ze dergelijke ongepaste woorden niet durven gebruiken, maar wat ze zei kwam op hetzelfde neer. Ik was het niet gewend zo te worden bekeken, ik had de onverdraaglijke indruk dat ik aan de verkeerde kant van de microscoop zat.

'Ik ben er niet zeker van', zei ik ten slotte, 'of zo'n soort toelichting voor uw lezers geschikt is.'

'Op uw toelichting is niets aan te merken. Ik zat alleen even aan iets anders te denken.'

'Uw jonge geest waarde elders rond', oreerde ik als een echte vader.

'In het geheel niet, mijn geest zwerft hier rond. Ik ben onder de indruk van alles wat ik om me heen zie en daardoor word ik afgeleid: dit laboratorium, die tuin, de planten en insecten, uw laboratoriumjas, uw ouderwetse bril, en vooral dat statige bureau met zijn laden vol mysterieuze, stoffige wetenschap die mij altijd vreemd zal blijven.'

Ze haalde diep adem en schudde haar bruine haardos alsof ze zichzelf zo wilde wakker schudden.

'Ziezo, ik heb u gezegd wat me afleidde. Voor u zijn al die dingen om u heen waarschijnlijk onbeduidend en hebben ze niets bekoorlijks of poëtisch.'

'Ik moet toegeven dat deze omgeving geen indruk meer op me maakt. En wat dit bureau betreft, kan ik u zeggen dat het me ernstige zorgen baart. U denkt dat het een statig, massief meubel is, maar dat is slechts bedrieglijke schijn, want het wordt uitgehold door een compleet netwerk van gangen waar hele kolonies houtwormen vrolijk doorheen rennen. Wanneer ik 's avonds laat nog zit te werken, denk ik soms dat ik hun kaken hoor malen, en op een dag zullen ze hun werk zo grondig hebben gedaan dat ik mijn aktetas maar hoef neer te leggen om het geheel in elkaar te doen zakken. Dan stort dit massieve, eerbiedwaardige bureau als een kaartenhuis in elkaar en blijft er niets dan een hoopje zaagsel en insectendrek over. En pas dan zal de directie er misschien over gaan denken om me een ander bureau te geven, als dit bouwvallige pand tenminste niet op hetzelfde moment is bezweken.'

Mijn bezoekster barstte in lachen uit en keek me aan op een manier waarop iedere man door vrouwen zou willen worden aangekeken. Bedwelmd, opgewonden en heimelijk gerustgesteld door de pen die ze had dichtgedraaid en weggestopt, stortte ik me in een ongedwongen verhaal over het museum, de professoren, de studenten en de directeur – een reusachtig, drukbevolkt karikaturaal fresco dat bij een reünie van oud-studenten voor de nodige hilariteit zou hebben gezorgd. Maar ten overstaan van een journaliste die ik voor het eerst zag...

'Dat gaat u toch niet publiceren!'

Alleen door geforceerd te glimlachen kon ik mijn angstkreet een beetje inkleden. Clarence keek me aan zonder iets te zeggen. Nooit werd een insectenziel van zo dichtbij onder de loep genomen. Ik had weliswaar spijt van mijn geklets en wist dat ieder woord dat ze zou publiceren een onoverbrugbare kloof zou veroorzaken tussen mij en mijn studenten, mijn collega's, kortom dat hele wereldje dat ik had uitgekozen om mijn werkzame leven door te brengen. Maar dat was niet aan de orde, nog niet. Later, over een minuut, over een uur, zou ik door berouw worden overmand. Later zou ik me schamen. Maar op dat moment ging het om die blik van een vrouw, ik zou het onverdraaglijk hebben gevonden om die glimp van waardering uit haar ogen te zien verdwijnen, voor geen goud had ik mezelf door een miezerige, angstige smeekbede in diskrediet willen brengen.

'En nu,' zei ik terwijl ik me uitrekte, 'nu ik mijn testament aan u heb toevertrouwd, kan ik in vrede sterven.'

Toen ze lachte, wist ik dat het goed zat.

Het resultaat ging echter al mijn verwachtingen te boven. Haar artikel, dat tien dagen later verscheen, was een regelrechte liefdesode aan het museum en zijn tuin, 'een miskende oase midden in de stadswoestijn', 'het laatste toevluchtsoord voor reeën, (...) en klassieke wetenschappers in ouderwetse overjassen'. Met het ras van die klassieke wetenschappers werd niemand anders bedoeld dan ikzelf, die discreet 'professor G.' werd genoemd en van wie ze in tedere bewoordingen 'de langgerekte gestalte' beschreef, 'die zich tot aan zijn kruin toe uitrekte en zo ver voorover boog dat hij zou omvallen als zijn stevige stappers geen tegenwicht zouden bieden'. Dankzij haar lyrische stijl werd ik niet alleen als onderzoeker en docent bestempeld, maar liet ze haar lezers ook nog geloven dat ik iedere dag een ronde door de tuin en langs de dieren maakte; het had niet veel gescheeld of ik had de reeën eigenhandig gevoederd. Ze had dit beeld van een rustiek genie waarschijnlijk nodig om haar titel, 'In het paradijs van professor G.', te rechtvaardigen. Het was kortom een mengeling van droom en werkelijkheid waarin ik, dat moet ik toegeven, uitermate gunstig werd afgeschilderd.

Natuurlijk geen woord over mijn ontboezemingen. Maar evenmin de geringste verwijzing naar mijn gedegen verhaal over de treksprinkhanen!

D

Ondertussen bleef het uit Caïro meegenomen doosje naast een kapotte notenkraker in mijn la rusten. Op een zondag heeft Clarence het tevoorschijn gehaald, een belangrijke zondag in mijn leven, om een reden die niets met deze ontdekking te maken heeft. Maandenlang, zo lang als we samen waren, had ik mijn uiterste beste gedaan haar zover te krijgen dat ze bij mij kwam wonen in het grote appartement in de Rue Geoffroy-Saint-Hilaire, tegenover de Jardin des Plantes. En die zondag was ze gekomen.

Meteen na het verschijnen van haar artikel had ik haar opgebeld en we hadden elkaar ontmoet, gesproken, in het oor gefluisterd, vastgehouden en niet meer losgelaten, bemind, niet overhaast maar wel onmiddellijk, alsof we sinds de oertijd een afspraak hadden. Beiden verliefd, verrukt, ongelovig, plotseling plagerig, volwassen klaplopers in het kinderparadijs. Doordat ik diersoorten heb bestudeerd, weet ik dat de liefde slechts een truc is om te overleven; maar het is heerlijk om je ogen voor de werkelijkheid te sluiten.

Voor mij was dit hele avontuur wonderbaarlijk, meeslepend en van meet af aan definitief. Voor Clarence waarschijnlijk ook, maar zij had zichzelf beloofd dat ze zich niet halsoverkop in de armen van een onbekende zou storten.

Misschien heb ik er verkeerd aan gedaan haar al bij onze tweede ontmoeting mijn verzameling kevers te laten zien. Ik bezat toentertijd bijna driehonderd verschillende exemplaren, waaronder een schitterende herculeskever, het pronkstuk van de verzameling; daarnaast had ik nog een uitzonderlijk grote duizendpoot en een dwergtarantula. Uit de eerste reactie van Clarence begreep ik dat er tijd voor nodig was om haar zover te krijgen dat ze 'daarmee ging samenwonen', en dat ik deze kennismaking met meer tact had moeten voorbereiden. Tevergeefs zei ik een paar keer dat deze ongelukkige, dode beestjes even ongevaarlijk waren als een verzameling oude munten, dat ze in mijn ogen even kostbaar waren en daarbij nog het voordeel hadden geen inbrekers in verleiding te brengen... Ze probeerde me niet tegen te spreken, maar liet me op belachelijk plechtige manier beloven dat de contacten met de wereld der insecten vanaf die nacht en verder voor altijd uitsluitend tot mijn domein zouden behoren.

Er waren maanden van tederheid en listigheid voor nodig om te zorgen dat ze deze onterechte aversie overwon en erin toestemde om een voet in mijn huis te zetten.

Niet meer dan een voet, bezwoer ze me. Maar ik maakte me geen zorgen meer, ik had haar in het web van het samenleven gelokt en iedere dag verzon ik instinctmatig talloze dingen om haar vast te houden.

En zo had Clarence beslag gelegd op een deel van de klerenkast, twee planken in de badkamer en een la voor haar ondergoed.

De la in kwestie bevatte allerlei nutteloze voorwerpen waarvan de toestand varieerde van groen uitgeslagen tot verroest, kapot en versleten... Mijn nieuwe huisgenote had volmacht gekregen om alles in de prullenbak te gooien, maar nauwgezet als zij was, controleerde ze systematisch de etiketten van de medicijnen.

'Hier staat geen enkele datum op, dit gaat waarschijnlijk eeuwig mee.'

Ik bekeek het doosje dat ze me liet zien.

'Dat heb je goed gezien, het is een recept uit de tijd van de farao's.'

Ik vertelde haar over Caïro, de studiebijeenkomst over de scarabee... en ook van het voorval met die kwajongens op het plein van Maydan at-Tahrir.

Ze luisterde met gespitste oren. Vervolgens leegde ze de inhoud van het doosje in haar schoot en begon de bijsluiter te lezen.

'Ik heb al eens van deze vreemde "bonen" gehoord, maar dit is de eerste keer dat ik ze zie. Vorige zomer vroeg een Marokkaanse vriendin me of zij ze voor me zou meebrengen; later schaamde ik me dat ik daar toen belangstelling voor heb getoond. Ik dacht dat het een soort heksenbrouwsel zou zijn, maar het is keurig ingepakt.'

Ze las verder.

'Weet je zeker dat je het niet gekocht hebt om een mannelijke erfgenaam te krijgen?'

In haar ogen las ik een soort katachtig wantrouwen jegens het manvolk. Ik hief mijn rechterhand op, een armzalige eed die door Clarence met een lach werd aanvaard. Ik profiteerde daarvan om tot de aanval over te gaan: 'De Deense egyptoloog heeft me uitgelegd dat mannen vaak aarzelen om deze "bonen" te eten, maar dat juist hun vrouwen de capsule openmaken en stiekem de poeder in hun soep strooien.'

'Ja, ik weet het, haat tegen de vrouw gaat in de eerste plaats van moeder op dochter over. Als je zoals ik aan de kust van de Middellandse Zee bent opgegroeid, heb je zelden de kans om dat te vergeten.'

Haar familie, die oorspronkelijk uit Bessarabië kwam, had in Saloniki, Alexandrië en Tanger gewoond en vervolgens in Sète, waar Clarence werd geboren. Na talloze verdraaiingen, weglatingen en toevoegingen was haar familienaam Nesmiglou geworden. Kon ik het helpen dat ik mijn partner, als we samen waren, af en toe 'iglo' noemde? Om haar te plagen legde ik haar een keer uit dat deze bijnaam uitstekend bij haar paste: 'Wat is een iglo? Een blok ijs maar daarbinnen is het lekker warm...'

Behalve haar naam had Clarence aan de omzwervingen van haar familie door de eeuwen heen de edelste trekken van de vermenging van rassen overgehouden: ze was een Griekse Venus met een onmiskenbaar gebronsde huid en een geur van rozemarijn om haar heen; ik stelde me haar voortdurend voor liggend op een strand, de blik in de verte gericht, naakt en druipend van het opspattende water.

Die zondag stond ze op en begon, met het doosje met 'bonen' nog steeds in haar hand, door de kamer te ijsberen met een gespannen gezicht en langzame stappen, als in slowmotion. Hoe vaak heb ik haar zo niet vertederd gadegeslagen, vol verlangen om voor haar te gaan staan en haar in mijn armen te sluiten, maar ik heb het nooit durven doen, geen enkele keer heb ik haar stappen of haar gedachtegang onderbroken, ik deed niets anders dan haar met mijn ogen volgen en afwachten, want uit die gisting van gedachten borrelde altijd een idee op, serieus of lichtzinnig, vaak allebei tegelijk, en ik wist dat ze me erover zou vertellen.

'Denk je niet dat ze goed zouden zijn voor mijn humeur?'

De bonen van de scarabee goed voor het humeur van Clarence?

'Dat is vakjargon', zei ze lachend. 'Bij de krant schrijven de belangrijkste redacteuren om beurten een *billet d'humeur*, dat is een column in een apart kader met hun foto erbij. Deze week mag ik voor het eerst zo'n column schrijven, daar heb ik echt voor moeten vechten, maar sinds de hoofdredactie haar goedkeuring heeft gegeven, ben ik tevergeefs op zoek naar een origineel onderwerp. Nu heb ik het gevonden.'

Ze hield het doosje voorzichtig vast alsof het om een bewijsstuk ging. En ze begon opnieuw als een ongeduldig roofdier door de kamer te ijsberen. Dat ging zo een poosje door. Uiteindelijk bleef ze abrupt stilstaan.

'Mijn verhaal is klaar, ik hoef het alleen nog maar op te schrijven', zei ze triomfantelijk.

Vervolgens liet ze zich uitgeput maar voldaan met wijd uitgespreide armen op het bed vallen.

Ik mocht bezit van haar nemen.

'Het humeur van Clarence Nesmiglou' bestond uit een paar goed opgebouwde alinea's rondom een simpel idee dat als een spiraal werd opgepakt om tot het eind te worden uitgesponnen.

Ik heb die tekst niet meer bij de hand, maar in mijn eigen prozaïsche bewoordingen zou ik hem ongeveer als volgt samenvatten: 'Als man en vrouw voortaan met een eenvoudig hulpmiddel zelf over het geslacht van hun kinderen zouden kunnen beslissen, zouden sommige volkeren alleen maar jongens kiezen, met als gevolg dat ze zich niet meer zouden kunnen voortplanten en uiteindelijk zouden verdwijnen. Terwijl de mannencultus nu nog "slechts" een maatschappelijk euvel is, zou die in de toekomst tot collectieve zelfmoord leiden. Gezien de steeds snellere vooruitgang van de wetenschap en de stagnerende mentaliteitsontwikkeling van de mensen, zal het niet lang duren voordat een dergelijke hypothese bewaarheid wordt. En als we de scarabee uit Caïro moeten geloven, is dat reeds het geval.'

Als ik het had gewild, had ik de exacte woorden van Clarence, zoveel bloemrijker dan de mijne, kunnen terugvinden, maar dat heb ik expres niet gedaan. Haar hele verhaal was namelijk tegelijkertijd fel en luchtig van toon, hetgeen nu, na alles wat er is gebeurd, afgrijselijk misplaatst zou lijken. Afgrijselijk? Dat woord past helemaal niet bij Clarence!

Ongetwijfeld was haar stijl wat luchtig, maar dat moet ook in zo'n soort artikel, een *billet d'humeur* is net als een vlinder, het moet een luchtig en frivool verhaal zijn. Er sprak ook een zekere lichtzinnigheid uit, maar is dat niet iets wat we onszelf allemaal moeten verwijten? We weten inmiddels dat de media uitstekend in staat zijn om lichtzinnigheid te propageren, net zoals licht schaduw verspreidt; hoe feller de schijnwerper, des te donkerder de schaduw. In de kranten was zo nu en dan wel degelijk verslag gedaan van een aantal vreemde verschijnselen. In China was vanaf het begin van de jaren tachtig geconstateerd dat er in bepaalde provincies veel meer jongens dan meisjes werden geboren. Deskundigen hadden ons vervolgens met een stalen gezicht uitgelegd dat, aangezien Chinese gezinnen van de overheid slechts één kind mochten hebben, ze zich vaak van de eerstgeborene ontdeden als die de onbeschaamdheid had zonder het onmisbare attribuut ter wereld te komen; daarom zouden er een paar miljoen kinderen zijn vermoord. De wereld had gedurende achtenveertig uur meegeleefd en daarna was het verhaal vermalen in de molen van het alledaagse wereldnieuws.

Ik probeer Clarence niet vrij te pleiten, ik weet dat ze ten onrechte grapjes heeft gemaakt over de 'autogenocide van vrouwenhatende volkeren', maar men dient zich wel te verplaatsen in de toenmalige tijdgeest: het was een tijd waarin we ons voortdurend over van alles en nog wat druk moesten maken, maar ons nergens langdurig mee konden bezighouden. Een grote stad in Afrika zal door de epidemie worden gedecimeerd, werd er op een gegeven moment geroepen. Was dat waar, gelogen, overdreven? Stond het ieder ogenblik te gebeuren of was het slechts een hypothese? Alles stond in het teken van de waan van de dag. En ondanks mijn heilzame contact met mijn insecten, heb ik mezelf te lang laten verdoven.

Hiermee wil ik maar zeggen dat niemand het recht heeft om Clarence aan te vallen. Haar artikel was ironisch bedoeld en haar lezers hebben erom geglimlacht. De enige brief die ze na het verschijnen van haar column kreeg, kwam van een mevrouw die haar vroeg om nadere informatie over de 'bonen van de scarabee' en om het adres waar ze te krijgen waren.

Zelf had ik in het onderwerp dat mijn partner had behandeld, hoofdzakelijk het ideale excuus gevonden om een vraag op te werpen die me zeer ter harte ging: was dit voor haar en voor mij niet het moment om een kind te krijgen? Ik was toen eenenveertig jaar, zij negenentwintig, we hadden geen haast, dat wil zeggen niet in biologisch opzicht; toch kon het geen kwaad om er eens over na te denken. Clarence was niet principieel tegen een kind en zeker niet tegen een kind van mij. Maar ze zei, en daarin had ze gelijk, dat ze juist 'in de lift' zat bij haar krant, ze had zin om te schrijven en om gelezen te worden, zin en haast om reizen te maken. Er waren in alle landen zoveel wonderbaarlijke onderwerpen om verslag van te doen en afschuwelijke misstanden om aan de kaak te stellen. Ze wilde reportages maken in Rusland, Brazilië, Afrika, Nieuw-Guinea en ga zo maar door. Als ze nu in verwachting raakte, zou dat, zoals ze dat zelf noemde, 'een blok aan haar been' zijn, en dat gold ook voor het kind zolang het nog klein was. Later, beloofde ze, wanneer ze meer bekendheid had gekregen en zich zo goed als onmisbaar had gemaakt, dan zou ze zichzelf een jaar vrijaf gunnen, voor ons kind.

Ik moest wel met deze afspraak instemmen, maar was van plan, zodra ik maar even de kans zag, weer op het onderwerp terug te komen. Ik mocht Clarence niet te veel opjagen, maar aan de andere kant moest ik ook met mijn eigen ongeduld rekening houden.

Ik weet niet of ik dit met veel andere mannen gemeen heb, maar zelfs als tiener heb ik er altijd naar verlangd om een dochter van mijn eigen vlees en bloed in mijn armen te houden. Ik heb altijd het idee gehad dat ik dan als het ware volledig zou worden en dat er anders iets aan mijn bestaan als man zou ontbreken. Ik heb voortdurend van dit dochtertje gedroomd, ik stelde me voor hoe ze eruit zou zien en hoe haar stem zou klinken, en ik had al een naam voor haar bedacht, Béatrice. Waarom Béatrice? Daar moet een reden voor zijn geweest, maar hoe diep ik ook in mijn geheugen graaf, ik kan niets bij mezelf ontdekken waarop die naam teruggaat, hij is er gewoon, zoals een varen die plotseling omhoogschiet.

Toen ik die naam voor het eerst bij Clarence ter sprake had gebracht, had ze gezegd dat ze jaloers was en daarbij hard gelachen om me te laten denken dat ze een grapje maakte. Maar ze lachte niet van harte, want ze begreep dat ik nooit van haar kon blijven houden als ze me zou dwingen mijn droom op te geven; en dat ze erin zou moeten berusten voor altijd in mijn kleine wereldje samen met Béatrice te leven – dat betekende een veel intiemer samenzijn dan met mijn verzameling kevers.

Als het eenmaal zover was, zou ik voor beide vrouwen evenveel liefde tentoonspreiden. Ik had besloten dat, zodra Clarence het beloofde jaar vrijaf zou nemen, ikzelf ook een jaar verlof zou vragen om me aan het vaderschap te wijden.

Lang voordat ik wist wanneer het zou gaan gebeuren, had ik dat 'het jaar van Béatrice' gedoopt.

E

Clarence moest nog lang geduld hebben en vechten en onderhandelen voordat haar krant eindelijk besloot om haar voor haar eerste grote opdracht naar het buitenland te sturen, in dit geval naar India waar ze een verslag moest schrijven over vrouwen die de vuurdood stierven. Dat waren niet alleen vrouwen die vroeger door een wrede traditie werden veroordeeld om samen met hun overleden echtgenoot te worden verbrand, maar ook vrouwen die vaak op zeer jonge leeftijd met het oog op hun erfenis door hun schoonfamilie met kerosine werden besprenkeld, een walgelijke gewoonte van recentere datum die helaas nog niet in onbruik was geraakt.

Het onderzoek zou tien dagen in beslag nemen en in Bombay eindigen, waar Clarence een nachtvlucht zou nemen om vrijdagochtend om zes uur in Parijs aan te komen.

Maar de avond daarvoor, toen ik in de veronderstelling verkeerde dat ze op het punt stond in het vliegtuig te stappen, hoorde ik aan de andere kant van een krakende en piepende lijn haar stem die me na een haastige begroeting vroeg of ik wist waar de 'bonen' waren die ik uit Caïro had meegenomen. Ik legde de hoorn neer om het doosje uit de la te halen waar het nog altijd in zat, als enige ontsnapt aan de grote schoonmaak, en nu omringd door zachte, naar Clarence geurende lingerie.

'Zou je me de gebruiksaanwijzing willen voorlezen? De Engelse tekst.'

Nu meteen, door de telefoon van Parijs naar Bombay?

'Je bent zo ver weg, Clarence', zei ik als enige vorm van protest.

‘Als je vannacht je ogen sluit, denk je dan maar in dat ik naast je lig en druk me stevig tegen je aan. Als je tenminste alleen bent.’

‘Komt voor elkaar. Als ik tenminste alleen ben.’

‘En als je niet alleen bent, geef me dan even een seintje, dan kan ik hier ophouden met braaf de trouwe echtgenote uit te hangen!’

Aan weerszijden van de lijn klonk eensgezind gelach, gevolgd door een lange, veelbetekenende stilte. Toen kwam ze pardoes terug op datgene wat haar op dat moment bezighield.

‘Kun je zo duidelijk mogelijk articuleren en hard praten? Ik ga het namelijk opnemen, dan kan ik het straks op mijn gemak afluisteren.’

Pas nadat ze me de moeilijkste woorden had laten herhalen, vertelde ze me dat ze had besloten haar verblijf met een paar dagen te verlengen en ze vroeg me of ik haar krant daarvan op de hoogte wilde stellen.

Dat deed ik onmiddellijk de volgende dag, ’s morgens vroeg. Muriel Vaast, haar hoofdredactrice, leek verbaasd en geërgerd. Clarence had haar kort daarvoor juist opgebeld om te vertellen dat ze haar onderzoek had afgerond en dat ze een artikel van minstens zes pagina’s had en unieke foto’s.

‘En de avond voordat de kopij moet worden ingeleverd, laat ze weten dat ze niet op tijd terug zal zijn. U moet toch toegeven dat dat niet erg professioneel is!’

‘Ik neem aan dat ze op het laatste moment nog nieuwe, belangrijke informatie kon krijgen’, stamelde ik als een vader van een leerling die zijn huiswerk niet op tijd af heeft.

‘Ik hoop het voor haar!’

Dat deed ik ook en ik maakte me zorgen over de onaangename verrassing die haar bij haar thuiskomst te wachten stond. Ik had Muriel Vaast nog nooit ontmoet, ik kende haar alleen uit de beknopte beschrijving die Clarence me van haar had gegeven, 'een soort dikke cheffin die altijd gekreukte rokken aanheeft', en ik moet zeggen dat ik aan dit eerste telefonische contact niet de indruk had overgehouden van iemand die overliep van menselijke genegenheid. Ik wist dat mijn partner van haar noch welwillendheid noch begrip hoefde te verwachten. Maar als ze met een ongehoord verhaal uit Bombay zou komen, zou ze misschien toch haar respect kunnen afdwingen.

Ik begreep pas dat ik me vergiste, toen ik die woensdagavond, voor de eerste keer sinds we elkaar kenden, tranen in de ogen van Clarence zag blinken.

Ze was aan het begin van de middag in Parijs aangekomen en had zich meteen door een taxi bij de krant laten afzetten, waar de redactie aan het vergaderen was.

Ondanks de vermoeiende reis was ze in een jubelstemming, had lachend de deur opengeduwd, de vergadering met een oosterse buiging en gevouwen handen begroet, luidruchtig een stoel gepakt en was met het uitpakken van haar papieren begonnen... Om als enige reactie het volgende ontmoedigende gemopper te horen: 'Goed, om het verhaal even samen te vatten: je bent in Bombay met een tekst en foto's waar we in Parijs op zitten te wachten en waarvoor we op jouw verzoek zes hele pagina's hebben vrijgehouden, en plotseling, op het allerlaatste moment, besluit je je eigen plannen en die van ons om te gooien. Ik neem aan dat je daar een zeer goede reden voor had en daar ben ik erg benieuwd naar.'

Deze reactie was zo'n koude douche voor haar geweest dat Clarence niet eens meer zin had gehad om zich te verantwoorden. Ze had lang naar haar hoofdredactrice gestaard, daarna naar haar collega's, het plafond en de deur. Geaarzeld. Een hand op haar papieren gelegd alsof ze ze weer had willen oppakken. Nog een keer in tweestrijd gestaan... En uiteindelijk erin berust om de verklaring te geven die van haar werd geëist. Dat had ze net zo goed niet hoeven doen, dunkt me, want na zo'n introductie kon alles wat ze zou kunnen vertellen alleen maar onbelangrijk, onbeduidend en belachelijk overkomen. Wat ze te vertellen had, was overigens in geen enkel opzicht sensationeel of uitzonderlijk. Als haar gehoor echter van goede wil was geweest, inlevingsvermogen en een klein beetje collegialiteit had gehad, had het door de aarzelende woorden van mijn partner heen een vermoeden kunnen krijgen van de eerste tekenen van het drama dat ophanden was.

Wat had ze gezegd? Om haar laatste uren in Bombay op te vullen had ze besloten langs de Marine Drive te slenteren, in de buurt van Chowpatty, waar ze in het gedrang van de bonte mensenmassa tegen een klaptafeltje was aangebotst, dat was omgevallen; op dat tafeltje had de zeer jonge verkoper doosjes opgestapeld waar door voorbijgangers om werd gevochten. Uit nieuwsgierigheid en ook een beetje in de hoop haar onhandigheid goed te maken, had ze zo'n doosje gekocht en ontdekt dat het een vrijwel exacte kopie was van het doosje dat ik een jaar tevoren uit Caïro had meegenomen, behalve dat de scarabee die erop stond afgebeeld door een brilslang werd omgeven. Daarop had ze mij opgebeld om de bijsluiters te vergelijken, die op een paar verschillen na, identiek bleken te zijn.

Ze zou vast niet zoveel aandacht aan deze toevallige ontdekking hebben besteed, ware het niet dat ze twee dagen daarvoor tijdens haar onderzoek, in een dorpje in Gujarat een stokoude vrouw met een perkamenten huid had ontmoet, die wonderlijke dingen tegen haar had gezegd. Na zich te hebben beklaagd over het lot van haar kleindochter die een paar weken na haar bruiloft was verbrand, had het oudje voorspeld dat een dergelijk drama zich in de toekomst niet meer zou voordoen, omdat er in haar dorp en overal in de omtrek alleen nog maar jongens werden geboren, alsof de meisjes, gewaarschuwd voor de ellende die hen te wachten stond, liever niet meer ter wereld wilden komen.

Toen ze de doosjes bestudeerde waarop met vetgedrukte letters *family energy miracle* stond maar die door de verkoper kort maar krachtig als *boy beans* werden aangeprezen, had Clarence onmiddellijk moeten denken aan de oude vrouw en aan de hijgende waarzeggersstem die uit haar tandeloze mond kwam. Ze was geïntrigeerd geraakt, 'onverklaarbaar aangegrepen', zou ze later bekennen, en had het nodig gevonden extra speurwerk te verrichten. Daarom had ze besloten haar terugreis uit te stellen en was ze de volgende dag naar een grote kraamkliniek in Bombay gegaan in de hoop er een gynaecoloog te treffen die haar in ieder geval kon zeggen of haar onthutsende ontdekking op waarheid berustte.

Het gebouw was net geschilderd, het lag in een schitterend, onberispelijk onderhouden park en leek in geen enkel opzicht op de ziekenhuizen en consultatiebureaus die ze tot dan toe in het land had gezien. Eerst werd ze als de vrouw van een maharadja binnengehaald, maar zodra ze het woord 'journalist' had genoemd en nog voordat ze maar had kunnen zeggen dat ze een aantal vragen kwam stellen over het verstoorde geboorte-evenwicht, waren alle glimlachende gezichten verstard. Plotseling kon geen enkele dokter haar meer ontvangen, noch die dag, noch de maandag daarop, noch in de weken daarna. Er was maar één persoon die wel even met haar wilde kletsen en dat was een verpleger met een grote snor die ze bij het weggaan vlak bij de uitgang toevallig tegen het lijf liep. Hij durfde haar best toe te vertrouwen dat 'deze kliniek zeer beslist door de hemel is gezegend, want er worden bijna altijd jongetjes geboren'.

Toen Clarence op dat punt in haar verhaal was aangekomen, had de redactie verdeeld gereageerd: een derde had gekucht en twee derde had gelachen. 'Dit is voorpaginanieuws', had een 'welwillende' collega geroepen. 'De exclusieve ontboezemingen van een verpleger uit Bombay: "We zien alleen nog maar plassertjes!"'

'Als ik het goed heb begrepen,' luidde het commentaar van de hoofdredactrice, terwijl ze desondanks haar wenkbrauwen fronste tegen diegenen die het hardst lachten, 'dan is alles op één constatering gebaseerd, namelijk op het feit dat dezelfde capsules in Caïro en in Bombay worden verkocht. Ik maak je er ten overvloede op attent dat er in Macau, Taipei en andere Oost-Aziatische steden honderden fabrikanten van zalfjes, pommades, pleisters en elixers te vinden zijn; het zouden allemaal wondermiddelen zijn, gemaakt op basis van maansteen, gorillanagels, het schild van scarabeeën en niet te vergeten de hoorn van neushoorns waarin een schandelijke, lucratieve en smerige handel bestaat. Er zijn altijd miljoenen sukkels te vinden die die leugenpraatjes geloven en de zakken van de charlatans spekken. Ik hoop dat wat jou betreft, Clarence, deze dwaling van voorbijgaande aard is. Jouw taak is om onderwerpen te behandelen die voor vrouwen interessant zijn – en daar zijn er God weet hoeveel van – die allemaal even belangrijk, boeiend en aangrijpend zijn, maar als je met bakerpraatjes bij ons probeert aan te komen, zitten we niet meer op dezelfde golflengte.'

Mijn partner had zich kunnen verdedigen, kunnen uitleggen dat ze de dingen die haar bezighielden volkomen verkeerd beoordeelden... Maar wat had het voor zin om in een dergelijke sfeer door te zeuren? Met het laatste restje ambitie dat ze nog over had, probeerde ze niet voor de ogen van iedereen in elkaar te zakken, want de uitputting van de reis deed zich nu pas goed in haar benen en schouders voelen. Ze wist zich dapper groot te houden, zonder een smekende blik op haar omgeving te richten, maar ze zei niets meer; ze had toch geen woord kunnen uitbrengen.

Heb ik gezegd dat de tranen in haar ogen stonden? Dat was 's nachts, in bed, toen ze in mijn armen lag, alsof het erom ging de boze buitenwereld te bezweren. Ik was erger ontdaan door haar gesmoorde snikken dan zijzelf en meende er goed aan te doen haar op een mannelijk beschermende toon in het oor te fluisteren: 'Laat je tranen vannacht maar stromen, maar morgen ga je weer van je af bijten. Je kan alleen maar door je eigen verbittering worden verslagen.'

En met een soort naïeve plechtigheid die me door de hevige emotie werd ingegeven, voegde ik daaraan toe: 'Als het moet, zal ik je helpen.'

Ze wist weer een glimlach op haar gezicht te toveren, richtte zich op haar ellebogen op om me een tedere zoen op mijn mond te geven en liet zich onmiddellijk weer terugvallen.

'Ik mag het dan onder invloed van de emotie hebben gezegd, maar ik bedoelde het serieus. Ik ben ervan overtuigd dat jouw beroep op een aantal punten helemaal niet zoveel van het mijne verschilt.'

'Nou, dan zou ik wel eens willen weten wat een journalist en een entomoloog met elkaar gemeen hebben, maar kijk goed uit wat je gaat zeggen, want ik heb mijn oog juist op jou laten vallen omdat je in een andere wereld dan de mijne thuishoort. Als het je lukt om me van het tegendeel te overtuigen, ga ik bij je weg.'

Nu zat ze rechtop in bed en met mijn wangen voelde ik dat haar tranen begonnen te drogen.

'Ik weet zeker', overdreef ik met opzet, 'dat we min of meer hetzelfde beroep uitoefenen. Ik breng een deel van mijn tijd door met het observeren en beschrijven van insecten en het aanleggen van namenlijsten, maar het boeiendste van mijn vak is het bestuderen van de gedaanteverwisseling. Van de larf die zich via de nimf tot insect ontwikkelt.

In de spreektaal heeft het woord "larf" een bijbetekenis van onderdanigheid gekregen, maar volgens de Griekse oorsprong van het woord betekent "larf" niets anders dan "masker"; de larf is immers maar een vermomming, en op een gegeven moment legt het insect zijn vermomming af om zijn ware "imago" te laten zien. En zoals je misschien wel weet, is de wetenschappelijke benaming voor het insect dat zijn definitieve vorm heeft aangenomen, "imago".

Bij de ontwikkeling van larf tot insect, van de onbevallige en kruipende rups tot de schitterende vlinder die zijn kleuren tentoonspreidt, hebben we de indruk dat we met twee volstrekt verschillende bestaansvormen te doen hebben, maar in de rups zijn reeds alle elementen aanwezig waaraan de vlinder zijn schoonheid ontleent. Mijn beroep stelt me in staat om in de larf het beeld van de vlinder, de mestkever of de vogelspin te ontdekken, om in het heden het beeld van de toekomst te zien. Is dat niet fantastisch?

En waarin schuilt de bevlogenheid van de journalist? Louter in het waarnemen van menselijke vlinders of vogelspinnen, van hun jacht op elkaar en van hun liefdesperikelen? Nee. Jouw beroep wordt boven het gewone verheven, is niet meer te evenaren wanneer het je in staat stelt om in het heden de toekomst te lezen, want de toekomst is wel helemaal met het heden verweven, maar versluierd, in geheimschrift opgesteld, en slechts in fragmenten waarneembaar.

Nu, heb ik geen gelijk als ik zeg dat we bijna collega's zijn?' Hoewel ik Clarence met mijn betoog niet kon overtuigen, lukte het me in elk geval om de rimpels in haar gezicht glad te strijken.

Na een paar seconden was ze in slaap gevallen, met haar gezicht in de holte van mijn schouder weggestopt, terwijl ik ten prooi viel aan een van de ergste vormen van slapeloosheid waarbij allerlei gedachten door je hoofd spoken en de duisterste geheimen door plotselinge flitsen worden verlicht, als in een grot tijdens een hevige onweersbui.

Ik zou niet zover willen gaan met te beweren dat ik die nacht alles heb begrepen. Op het gevaar af een verwarde indruk te maken zou ik hoogstens willen zeggen dat, toen ik naar de ademhaling van mijn slapende vrouw luisterde, haar klamme lichaamswarmte voelde en vertederd naar de laatste sporen van tranen op haar wangen keek, ik plotseling begreep dat er iets te begrijpen viel. Iets essentieels waarschijnlijk.

Daarom besloot ik bij iemand te rade te gaan in wie ik al zeer lang een rotsvast vertrouwen stelde.

F

Ik kan me niet herinneren dat Clarence André Vallauris ooit heeft ontmoet. Hij was mijn dierbaarste vriend, maar onze vriendschap zou geen enkele inmenging hebben kunnen dulden, zelfs niet van de vrouwen aan wie wij ons hart hadden verpand.

Onze vriendschap dateerde uit mijn vroegste jeugd, want hij was reeds bevriend met mijn vader en was in zekere zin mijn peetoom. Ik zeg 'in zekere zin' omdat er geen sprake was van een door de doop bezegelde band, maar van een peterschap voor het leven, een rol die hij met een vreemde mengeling van hartelijkheid en plechtigheid vervulde.

We hadden de gewoonte om elkaar twee keer per jaar op te zoeken, de laatste zondag van oktober ter gelegenheid van mijn verjaardag, die op de 31ste valt, en de eerste zondag van maart ter gelegenheid van de zijne, aangezien hij – het was niet anders – op 29 februari was geboren, een speling van het lot die een enkeling treft. Het was nooit nodig elkaar te bellen, aan de afspraak te herinneren of deze te bevestigen; van afzeggen, het tijdstip of de plaats veranderen was al helemaal geen sprake. Op de betreffende dag kwam ik om vier uur 's middags bij hem; hij zorgde er altijd voor dat hij alleen was in het ruime appartement met de crèmekleurige lambrisering op de muren en de eindeloos lange gangen. Dan volgde ik hem, de theepot stond al op tafel en naast onze identieke fauteuils stonden reeds onze twee naar bergamot geurende koppen te dampen.

Wanneer ik ging zitten zette ik, iets dichter bij zijn kop dan bij de mijne, een doosje nonnenfortjes dat ik bij zijn lievelingsbanketbakker had gekocht; bij het openmaken zei hij steevast: 'Dat had je niet moeten doen!' Maar natuurlijk moest ik dat wel doen, dat was onze gewoonte, de brandstof voor onze gesprekken. Hij kon er overigens slecht van afblijven, behalve wanneer er nog maar eentje over was. Die hij mij dan aanbood. Die ik afsloeg. En die hij, dat weet ik zeker, verorberde zodra ik weg was.

Het zal niemand verbazen als ik hieraan toevoeg dat André dik was, of – om het juiste woord te gebruiken – gezet. Groot, gebaard en gezet. In mijn ogen, en als ik het zo opschrijf, heeft dat woord niet onmiddellijk een negatieve betekenis. Je hebt gezette en gezette mensen. André was van een blakende gezetheid, zo iemand die een goed leven heeft, met een oorspronkelijk normaal figuur dat op harmonieuze wijze is uitgedijd, en die in dit omhulsel – en misschien wel om het te logenstraffen – meer dan andere mensen de verfijning van geest en zintuigen cultiveert.

Maar ik schaam me nu een beetje dat ik in mijn beschrijving van André Vallauris heb uitgeweid over mijn nonnenfortjes in plaats van de geschenken te noemen die ik van hem kreeg.

Ik herinner me dat hij aan het eind van mijn allereerste bezoek naar zijn boekenkast liep aan de andere kant van de zitkamer. Alle boeken waren op ouderwetse manier ingebonden en uit de verte leken ze allemaal op elkaar. Hij pakte er een boek tussenuit en gaf het aan mij. *Gullivers reizen.* Ik mocht het houden. Ik was toen negen jaar en ik weet niet meer of ik bij het volgende bezoek heb opgemerkt dat de plaats waar het boek had gestaan, open was gebleven. Wel weet ik dat er in de loop der jaren steeds meer lege plekken in de kast zijn gekomen, net als een mond met steeds minder tanden. We hebben het er nooit over gehad, maar uiteindelijk begreep ik dat die plekken leeg zouden blijven; dat ze voor hem voortaan net zoveel betekenis hadden als de boeken zelf; en dat die in vaalrood leer geklede schimmen alle stille liefde van de mensen en het trotse resultaat van hun verzamelwoede in zich droegen.

Toen mijn vader nog leefde, ontmoette ik André af en toe bij andere gelegenheden, maar dan gedroegen we ons niet anders tegen elkaar dan de andere aanwezigen; niets, nog geen toespeling, deed aan 'onze' gesprekken denken. Die aparte gedragscode was verplicht; het gebeurde vaak dat, wanneer André me na een paar maanden weer opendeed, hij met een nauwelijks merkbare uitdaging in zijn stem zei: 'Waar waren we gebleven?' of 'Wat ik zeggen wou...' Het was een spel, zoals alles bij hem een spel was. Maar wanneer een spel het hele leven door wordt gespeeld zonder dat er ooit bij wordt gelachen, kun je dan nog van een spel spreken? Ik kon er bij hem zeker van zijn dat hij deze stimulerende ambiguïteit eindeloos zou volhouden.

Waar gingen onze gesprekken over? Vaak over de boeken die hij me cadeau had gedaan. Zo spraken we naar aanleiding van *Gullivers reizen* uitvoerig over de bloedige ruzie die de Lilliputters verdeelde over de vraag of je een ei bij de stompe of de spitse punt moest breken; we probeerden conflicten in de toenmalige wereld op te sommen die met de ruzies tussen de Stomppunters en de Spitspunters konden worden vergeleken. Afhankelijk van de boeken, waren onze gespreksthema's even verschillend als *Don Quichot* en *Candide* of *De goddelijke komedie*. Maar het draaide niet alleen om boeken, ik moest alles nog ontdekken, en André bezat die aloude gave van leermeesters die je de indruk geven dat je datgene wat zij je zojuist hebben geleerd, altijd al in je hebt gehad.

De laatste jaren hadden we het vooral over vrouwen en de tijd, dat wil zeggen over de levensduur van wezens en ideeën. We hadden het ook over mijn beroep dat hem intrigeerde. En nog vaker over het zijne.

Als kind droomde hij ervan uitvinder te worden, maar zijn vader wilde dat hij advocaat werd. Hij had hem gehoorzaamd om echter via een slinkse omweg bij zijn oorspronkelijke passie terug te komen: hij had zich namelijk toegelegd op het recht van nieuwe technische uitvindingen, een vakgebied waarvan hij trouwens een van de grondleggers is geweest. Talloze nieuwe feiten, variërend van magnetische kaarten tot kunstmatige bevruchting, van radioactieve neerslag tot ruimtestations, hadden aanleiding gegeven tot geschillen die in geen enkele wettelijke bepaling stonden beschreven; begrippen als 'piraterij', 'plagiaat', 'eigendom' en 'overlast' hadden niet meer hun gebruikelijke betekenis; zelfs woorden als 'leven' en 'dood' moesten opnieuw worden gedefinieerd. Voor André Vallauris was elke zaak een aanleiding om eindeloos speurwerk te verrichten dat vaak nog tot lang na het proces werd voortgezet en niet altijd wetenschappelijk of juridisch van aard was. Zijn dossiers gingen soms over veel ernstigere gewetensconflicten dan bij strafzaken het geval was, beweerde hij.

Al deze aspecten van zijn werk bracht hij ter sprake, soms vroeg hij wat ik ervan dacht, en ik geloof zelfs dat hij mijn mening ter harte nam. Vanzelfsprekend hechtte ik zelf de grootst mogelijke waarde aan zijn opvattingen. Wanneer ik hem een probleem schetste dat me dwarszat, deed ik dat echter niet altijd om zijn advies te vragen. Ik had een andere beweegreden die ik destijds niet zou hebben kunnen doorgronden, maar die me nu volstrekt duidelijk is: ik denk dat ik gedurende al die jaren dat we bevriend waren, ideeën bij André heb 'neergelegd' zoals je je van een last ontdoet of zoals je een graankorrel in een vertrouwde bodem laat vallen. In zijn hoofd ging niets verloren, alles vond zijn weg, en wanneer ik mijn idee weer tegenkwam had het wortels en takken gekregen; vaak was het dusdanig uitgewerkt dat ik het niet meer herkende.

Het toeval wilde dat ik mijn vriend bezocht op de zondag vlak nadat Clarence was teruggekomen. Ik had hem al over onze relatie verteld en over onze wens om een kind te krijgen. Nu ging ik uitgebreider in op de reis die mijn partner in India had gemaakt, over haar onderzoek, haar teleurstellingen bij de krant, dit alles met zeer veel details en een zekere geëmotioneerdheid.

André luisterde met zijn gebruikelijke aandacht naar me, bleef een paar minuten die mij een eeuwigheid toeschenen in gedachten verzonken en vroeg me vervolgens op zeer ernstige toon: 'En als het een jongen wordt, heb je dan een andere naam bedacht?'

Die vraag had ik absoluut niet verwacht. Maar het hoorde bij ons spel om nergens onze verrassing over te laten blijken. 'Nee,' antwoordde ik op dezelfde toon, 'ik heb geen andere naam in gedachten.'

Hij pakte zijn kop, nam een slok thee. En ging daarna over op iets volstrekt anders. Einde onderwerp.

Dat dacht ik althans in mijn naïviteit.

Er was een maand voorbijgegaan, zelfs nog een paar dagen, toen ik een envelop met het handschrift van Vallauris ontving.

'Ik vond dat je dit moest lezen.' 'Dit' was een kopie van een pagina uit een Engelse encyclopedie waarop een alinea met bruine viltstift was omcirkeld. Daarin stond het volgende: 'Ten gevolge van een mazelenepidemie die in de jaren zeventig in een aantal dorpen in Senegal heerste, is er een plotselinge evenwichtsverstoring aan het licht getreden: op de tien jongens werd nog maar één meisje geboren;

hetzelfde vreemde verschijnsel is vervolgens in andere delen van de wereld geconstateerd.'

Ik gaf de brief aan Clarence, die naast mij haar post open zat te maken. Het zal een uur of negen zijn geweest en we zaten al een tijdje aan de ontbijttafel voor het grote raam dat op de Jardin des Plantes uitkeek. Het was het aangenaamste uur van onze dag, waar niets tegenop kon.

'Lees deze regels maar eens. Dat is misschien de verklaring voor wat zich in het dorp van de oude vrouw in Gujarat heeft afgespeeld.'

Ze pakte de brief en las hem door. 'Best mogelijk.'

Ze had het op een toon gezegd alsof ik bijvoorbeeld had beweerd dat de honing van die ochtend beter was dan de honing die ik gewoonlijk kocht. Ja, met dezelfde beleefde onverschilligheid. Behalve dat ze eerder dan gebruikelijk van tafel opstond.

'Ik ga vóór jou onder de douche.'

Toen ik zag hoe ze zich uit de voeten maakte, moest ik glimlachen. Ze deed me denken aan een vrouw die je aan haar vroegere liefde had herinnerd: ze ontkende niet, maar ze had niet de minste behoefte om die geschiedenis opnieuw op te rakelen.

Zo vatte ik haar reactie min of meer op, en toen André me tien dagen later een tweede brief stuurde, leek het me beter om er niet met Clarence over te praten. Er zou overigens nog veel meer post volgen. Dat verbaasde me niet echt. Hoewel er jaren waren dat Vallauris me schreef noch belde en genoeg had aan onze rituele halfjaarlijkse ontmoetingen, was het al eens voorgekomen dat hij me, naar aanleiding van een bepaalde kwestie die ik hem had voorgelegd, had gebombardeerd met gekopieerde pagina's die nauwelijks van commentaar waren voorzien. De paar keer dat hij dat had gedaan, had hij echter niet zoveel ijver aan den dag gelegd als nu. Er kwam geen einde aan! Toen ik in drie maanden tijd tien brieven had ontvangen, besloot ik er opnieuw een aan Clarence te laten lezen.

Het was een kort artikel uit de *Times of India* dat in een Londense zondagskrant was opgenomen en waarin stond dat een aantal Indiase artsen 'schandelijke praktijken' aan het licht hadden gebracht 'die steeds vaker plaatsvinden en waarvan iedereen op de hoogte is, maar waar niemand iets tegen doet... Duizenden zwangere vrouwen die zich in een zeer vroeg stadium van het geslacht van hun aanstaande kind op de hoogte laten brengen, vragen om een abortus als het een meisje is. Sommige klinieken gaan er zelfs prat op alleen maar jongens af te leveren.'

Dit keer toonde ze de belangstelling waarop ik had gehoopt. Maar haar commentaar...

'Dan zat ik er dus naast.'

'Hoezo, ernaast?'

Ik had haar wel door elkaar kunnen rammelen!

'Ik was ervan overtuigd dat alles wat ik in India had gezien, door de "bonen van de scarabee" was veroorzaakt. Nu blijkt dat het in Gujarat waarschijnlijk om een mazelenepidemie ging en bij de kliniek in Bombay om ongeoorloofde abortuspraktijken.'

'Wat kan mij die scarabee schelen! Wat ik opmaak uit alles wat ik nu gelezen heb, is dat je uit India met een schat aan informatie en vermoedens bent teruggekomen die je collega's niet au sérieux hebben genomen maar die allemaal blijken te kloppen. We hebben te maken met verontrustende verschijnselen die om een grondig onderzoek vragen, zowel in India als in talloze andere landen. Is dat niet duizend keer zo belangrijk als onze verhaaltjes over "bonen"?'

'We praten langs elkaar heen. Wat ik had gewild...'

Ze zweeg, ontmoedigd leek het wel. Ik wilde net van haar

zwijgen gebruik maken om haar nog eens de les te lezen, toen onze blikken elkaar kruisten, en ik zei niets meer. Ik las in haar ogen een ernstige, erger nog, een ontredderde blik die ik nooit eerder bij haar had opgemerkt. Ik nam haar hand in de mijne, bracht die zachtjes naar mijn lippen, zoals ik dat wel vaker deed, en wilde haar juist heel voorzichtig vragen wat haar dan zo aangreep, toen ze zich vermande en heel vluchtig glimlachte, alsof ze alleen maar bang was geweest dat ze de juiste woorden niet kon vinden.

'Wat me bij die "bonen van de scarabee" aanspreekt, is dat ze me de gelegenheid bieden om alle vrouwenhaters op een nette manier onderuit te halen. Maar ik zou voor geen goud in de eeuwige discussie over abortus verzeild willen raken.

Met bepaalde begrippen is het namelijk zo dat zodra je ze ter sprake brengt, ze het effect hebben van een druppel citroen in een glas warme melk. Onmiddellijk gaat de melk klonteren en schiften. Als je "abortus" zegt, beginnen de mensen te steigeren, krijgen ze onwillekeurige reacties, reflexen. Ook al probeer je nuances aan te brengen, er wordt niet meer naar je geluisterd, je moet onmiddellijk stelling nemen. Sommigen vinden je een "kwezel", anderen noemen je een "moordenaar". Voor mij zijn de kwezels geen haar beter dan de engeltjesmakers: zij hebben toch immers het verhaal van de erfzonde verzonnen waarin wordt gezegd dat de vrouw de oorzaak is van alle kwaad en dat de mensheid nog in het paradijs zou leven als zij niet zo stom en begerig was geweest? Hebben zij ook niet verzonnen dat de vrouw uit de rib van de man is gemaakt en dat God alleen maar vader was, terwijl hij volgens de regels der logica zowel vader als moeder voor de schepselen had moeten zijn?

Duizenden jaren lang heeft men alleen maar lof gezongen van de man, de hele mensheid heeft alleen maar jongens op de wereld willen zien komen. En nu, wonder boven wonder, kan deze wens in vervulling gaan. Eindelijk kunnen de meisjes met het vuile badwater worden weggespoeld. En wie komen er in opstand? De kwezels. Terwijl in het kamp van de voorstanders van de gelijkheid der seksen sommigen liever hun blik afwenden...

En dan zou jij willen dat ik met die idioten in discussie treed!'

G

Gezien de gemoedstoestand waarin Clarence zich sinds haar terugkomst had teruggetrokken, hoedde ik me ervoor haar de andere brieven van Vallauris te laten lezen, temeer daar zij betrekking hadden op gebeurtenissen die overwegend aan het begin van de jaren negentig hadden plaatsgevonden. Ikzelf wierp er slechts een korte blik op alvorens ze, uit respect voor mijn vriend en om mijn geweten te sussen, in een plastic mapje te stoppen.

Maar toen de dag van mijn rituele bezoek aan André in zicht kwam, dwong ik mezelf om alles eens goed door te lezen. Ik schaamde me een beetje dat ik me als een schooljongen gedroeg die vlak voor het examen opeens begint te blokken, maar mijn peetoom kon behoorlijk doorvragen. Hoffelijk, vriendelijk, maar onverbiddelijk. Sinds mijn jeugd ging hij er bij elk boek dat hij me gaf van uit dat ik het vóór onze volgende ontmoeting grondig zou hebben gelezen, 'langzaam', luidde zijn advies, 'en zonder potlood, het gebeurt maar al te vaak dat men zich door onleesbaar gekrabbel ontlast van hetgeen dáár zou moeten blijven ingeprent', en dan tikte hij nadrukkelijk met zijn wijsvinger op zijn voorhoofd. Hij zou zo in de gaten hebben gehad dat ik zijn brieven in de tussentijd alleen maar had doorgebladerd. 'Als je in twintig jaar tijd veertig boeken hebt gelezen, maar dan bedoel ik ook echt gelezen, dan kan je de wereld recht in de ogen kijken.'

Ik had zijn tien brieven dus gelezen, 'maar dan bedoel ik ook echt gelezen', dat wil zeggen overgelezen en herkauwd.

'Ik ben benieuwd wat je het meest heeft beziggehouden van alles wat ik je heb toegezonden.'

Met deze woorden deed André voor me open. En dus vertelde ik hem, zodra we op onze gebruikelijke plaats waren gaan zitten, van mijn gesprek met Clarence. Waarna ik eraan toevoegde: 'Al met al heb ik de indruk met een vreemd soort lettergrepenraadsel te maken te hebben. Ik weet niet of de lettergrepen in de goede volgorde staan en ik weet evenmin of er aan het eind een antwoord is.'

'Als we elkaar vorige week zondag hadden gezien, zou ik in dezelfde onzekerheid hebben verkeerd als jij. Toen had ik nog alleen maar op de tast, instinctmatig informatie verzameld. Maar afgelopen donderdag ben ik met een hardnekkig idee in mijn hoofd wakker geworden en heb ik de hele dag in de bibliotheek doorgebracht, speurend tussen rijen cijfers, tussen percentages die zich bladzij na bladzij herhaalden en slechts ver achter de komma varieerden. Ik stond op het punt om het op te geven toen ik op een boekentafel een studie zag liggen over de bevolking van tien grote steden in het Middellandse-Zeegebied, waaronder Caïro, Napels, Athene en Istanbul. Ook daarin trof ik een overvloed van cijfers aan, maar ditmaal voorzien van uitvoerig commentaar. Daarin schreven de auteurs onomwonden dat ze overal een duidelijke toename hadden geconstateerd van het aantal geboorten van kinderen van het mannelijke geslacht en een "significante" daling van het aantal geboorten van kinderen van het vrouwelijke geslacht. Gewoonlijk worden er gemiddeld honderdvijf jongens op honderd meisjes geboren, maar het onderzoek meldde op honderd meisjes een aantal van honderdtwaalf tot honderdnegentien jongens, afhankelijk van de stad. Dat is in de ogen van een leek niet spectaculair, maar als we de auteurs moeten geloven is het een verschil dat zich nog nooit eerder op zo'n grote schaal heeft voorgedaan.

Gaat het om een verschijnsel dat vergelijkbaar is met dat wat door de Indiase dokters aan het licht is gebracht? Daar ben ik nog lang niet achter, maar sinds donderdag weet ik tenminste dat er een raadsel bestaat en dat ik niet de enige ben die zich het hoofd erover breekt.'

Nog nooit was ik met zo'n onvoldaan gevoel bij André weggegaan. Meestal, wanneer ik de deur rustig achter me hoorde dichtgaan, met het gedempte geluid van de sleutel die in het slot werd omgedraaid, liep ik mijmerend weg, in gedachten verzonken maar met een ongedwongen pas, eerder zwevend dan slepend. Dat kwam niet door alles wat mijn peetoom me had geleerd; ik had ook andere kanalen om mijn kennis te verrijken. Ik benijdde hem niet zozeer om zijn eruditie als wel om het gemak waarmee hij van het ene onderwerp op het andere overstapte en met scherpe blik de problemen in de wereld overzag.

Ik zou zeer gekwetst zijn als men zou geloven dat ik me door zijn woordkunst of door zijn advocatentrucjes voor de gek liet houden; onze ontmoetingen waren niet van dien aard. Ik zeg alleen – en ik maak geen grapje – dat André's intelligentie strookte met zijn gewicht, daarmee bedoel ik dat hij een soort zwaarlijvige overtuiging had, waar hij zonder valse schaamte voor uitkwam, dat alles in deze wereld, de wetten, de wetenschappen, de godsdiensten en de staten, was gemaakt door mensen zoals hij en ik, en dat alles derhalve kon worden beoordeeld, bespot, afgebroken en overgedaan. 'Wij zijn geen gasten op deze planeet, zij behoort ons toe, zoals ook wij haar toebehoren, in het verleden en in de toekomst.'

Dat soort overtuigingen lagen niet in mijn aard. Ik heb altijd duidelijk het gevoel gehad dat ik maar een onbeduidende rol op aarde speel, en ook ik kom daar zonder schroom of valse schaamte voor uit; ik ben niet op deze wereld gekomen met de gedachte die ingrijpend te veranderen, ik maak geen wetten, ik kijk alleen om me heen en ben al gelukkig als ik een vergeten alinea in de wetten van de zoölogie ontdek; ik vind het al prachtig dat ik als individu te midden van miljarden soortgenoten het spel van overleven en voortplanten kan meespelen, binnen de grenzen van mijn mogelijkheden en binnen de tijd die mij is toebedeeld. In mijn vak krijg je een scherp besef van het vergankelijke en leer je daarin te berusten.

Juist vanwege onze verschillende overtuigingen deed mijn contact met Vallauris me veel goed. Telkens als ik bij hem was, tankte ik als het ware een nieuwe dosis zelfvertrouwen bij om vervolgens mijn werk te hervatten met een vurig verlangen resultaat te boeken.

Zo niet deze keer. Toen ik bij hem wegging, had ik het gevoel alsof ik vluchtte. Ik was even lang als anders bij hem gebleven, tot het op een na laatste nonnenfortje, drie volle uren, maar ik had in feite slechts een figurantenrol gespeeld.

André had mij tien hulpkreten gestuurd, op zijn manier, trots en hooghartig, tien brieven die me geen van alle werkelijk nieuwsgierig hadden gemaakt. Ik had geen enkel aspect nader onderzocht, geen enkel origineel idee ontwikkeld, en tijdens onze ontmoeting had ik niets anders gedaan dan mijn vriend gadeslaan, zijn voorzichtige pogingen en zijn aarzelingen taxeren, terwijl ik juist degene was die hem om hulp had gevraagd. Ik wist best dat hij het leuk vond om dingen uit te zoeken, maar die middag gaf hij niet zozeer blijk van een intellectuele opwinding als wel van een bepaalde angst en een gevoel van haast die slecht pasten bij het beeld dat ik van hem had.

Mijn eerste verklaring, op dat moment, was bekrompen:

de leeftijd. André was eenenzeventig jaar; hij was al een tijd geleden opgehouden met pleiten, maar had zijn praktijk pas kort daarvoor opgegeven. Ik heb mijn collega's vaak bekritiseerd vanwege hun neiging om andere leeftijdsgroepen als gevallen apart te beschouwen, want iedereen beschouwt zichzelf, op welke leeftijd dan ook, representatief voor wat algemeen geldend is, de permanente zetel van wat voor normaal doorgaat. Daar heb ik kritiek op, daar verzet ik me tegen, daar steek ik de draak mee, maar ik moet toegeven dat ik wat deze dwaling betreft zelf ook niet vrijuit ga. Die dag was ik geneigd om met zo'n oppervlakkige verklaring genoegen te nemen. Hoewel ik mezelf hiermee op goedkope wijze had gerustgesteld, nam ik me toch voor meer aandacht te besteden aan de toekomstige epistels van André. Ook zou ik hem zo nu en dan zelf eens een krantenknipsel sturen.

Als ik daar tenminste tijd voor had, want ik werd toen opgeslokt door de voorbereidingen voor een openbare lezing. Die moest ik op 8 december houden, het was al november en ik had nog geen letter op papier gezet.

Niet uit nonchalance, absoluut niet! Uit een overmaat aan enthousiasme. Ik had mijn tijd zo met allerlei onderzoek versnipperd dat ik niet aan het echte schrijven was toegekomen. Het thema van mijn lezing – god, wat lijkt dat nu irreëel, maar toch vind ik het belangrijk er iets over te zeggen, alleen al om aan te geven hoezeer ik mij kon distantiëren van de zorgen die me later in beslag zouden nemen – het thema dus, zou als volgt kunnen worden samengevat: net zo goed als vaststaat dat de helikopter is gemaakt naar het voorbeeld van de libel of de horzel, heeft de auto, na aanvankelijk een imitatie te zijn geweest van het rijtuig, de motoriek van de kevers (de meikever, de tor en het lieveheersbeestje) als model gehad. Een onbeduidend onderwerp, zult u zeggen? Toch had het onderzoek mij maandenlang beziggehouden. Ik had er bescheiden momenten van vreugde aan beleefd maar voor mij was dat al meer dan genoeg. Het ging niet alleen om wetenschap maar ook om kunst, industriële vormgeving en zeden en gebruiken. Ik had setjes van telkens twee dia's gemaakt om de overeenkomst te laten zien tussen bepaalde auto's en het insect dat als model had gediend of zou hebben kunnen dienen. Ik had zelfs een film gevonden, vanuit de lucht opgenomen, waarin het dagelijkse leven in een moderne grote stad werd getoond; het straatbeeld leek uitsluitend te worden beheerst door kolonies metalen insecten.

Alles was dus gereed behalve het allerbelangrijkste, de tekst van de lezing. Daarom had ik halverwege de maand november een zondag vrijgehouden waarop Clarence naar haar ouders in Sète zou gaan om me van 's morgens vroeg tot 's avonds laat op te sluiten en alleen maar te schrijven. Ik was om zeven uur op, had dapper het ontbijt opgeofferd en genoegen genomen met een Spartaans kopje koffie aan mijn bureau. Voor acht uur zat ik op mijn post, ik had al elf keer de eerste alinea geschreven en deze al elf keer in de prullenbak gegooid, toen ik om negen uur – en natuurlijk geen seconde eerder of later – door Vallauris werd gebeld.

'Ik heb een idee voor ons onderzoek. Mocht je vandaag toevallig even gelegenheid hebben...'

Hoe had ik nee kunnen zeggen op een voor hem zo uitzonderlijke vraag? Ik hing op en wierp een verslagen en tegelijkertijd stralende blik op mijn nog altijd maagdelijke blocnote, de schijnheilige blik van een scholier die zich beklaagt dat hij net toen hij aan zijn huiswerk wilde beginnen werd gestoord, maar ondertussen lafhartig de hemel dankt voor deze onverwachte afleiding.

Toen ik met mijn auto de straat inreed, stond André me op de stoep op te wachten, uitgedost met een lange witte sjaal. Het was dat jaar vroeg winter.

Hij ging naast me in de auto zitten.

'Als je na dit uitstapje het gevoel mocht hebben dat ik je programma zonder gegronde reden door de war heb geschopt, zeg het dan niet, want dan zou ik gekwetst zijn, maar vergeef het me in stilte.'

Ik toverde mijn beminnelijkste glimlach op mijn gezicht. 'Welke kant gaan we op?'

'Naar Orléans. Een vriend van me verwacht ons, een zeer oude vriend. Tijdens de Tweede Wereldoorlog zijn onze families in dezelfde tijd naar Genève gevlucht. We waren als kind allebei hevig geïnteresseerd in wetenschappelijk onderzoek, maar zijn vader stond er niet op dat hij advocaat zou worden.

We hebben elkaar de afgelopen jaren weinig gezien, hij heeft hoofdzakelijk in Californië gewoond en gewerkt. Nu is hij gepensioneerd en leidt hij een rustig bestaan in een landhuis in de buurt van Orléans, te midden van zijn bomen, zijn boeken en zijn kleinkinderen – het landelijk geluk! Hij heeft zijn leven gewijd aan de genetische veredeling van planten. Hij heeft geen spectaculaire ontdekkingen gedaan, niets wat een uitspreekbare naam heeft, maar sommige peren die wij eten hebben wat hun vruchtvlees, hun schil en hun geur betreft bijna evenveel aan hem als aan de natuur te danken. Hij heeft een van de meest bevredigende vakken uitgeoefend, want je maakt bloemen en vruchten nog mooier dan ze al zijn en je kunt zelf genieten van je uitvindingen. Anderzijds vereist het seizoenen lang geduld en vindingrijkheid.

Je hebt waarschijnlijk al in de gaten dat we hem niet gaan opzoeken om over planten te praten, hoewel het elke keer wanneer hij zich op dat onderwerp stort, een lust is om naar hem te luisteren. Hij is echter absoluut niet eenzijdig, maar geniet er juist van om verschillende vakgebieden aan elkaar te koppelen en daarna de vruchten van hun kruisbestuiving te bekijken. Ik heb hem gisteren over de telefoon van mijn bevindingen verteld. Ik ben er zeker van dat zijn reactie je zal interesseren, want hij is echt een geleerde. Geen simpele speurneus zoals ik.'

H

Ik had het zojuist over auto's en hun overeenkomsten met insecten; ik had eigenlijk eerst hetzelfde van de mensen moeten zeggen. Daarbij gaat het absoluut niet om die zogenaamde morele overeenkomsten die we kennen uit de fabels waarin deze of gene wordt vergeleken met een mier, een krekel, een bij, een simpele vlieg of een bidsprinkhaan. Het gaat mij alleen om de fysieke gelijkenis.

Ik heb namelijk de manische gewoonte om op iedereen die ik tegenkom, het etiket te plakken van een insect waar hij of zij me aan doet denken. Zo riep de vriend van André – en dat is ook de reden dat ik deze weinig belangwekkende zijsprong maak – bij mij onmiddellijk de gedachte op aan een jonge waterjuffer met grote platte voelsprieten... Ik schaam me er absoluut niet voor dit op te schrijven, want ik heb het hem een paar jaar later zelf gezegd, en hij moest toen erg lachen en vroeg me of ik hem het beest dat zijn dubbelganger was wilde laten zien. Bij die gelegenheid heb ik hem uitgelegd dat ik last had van een ziekelijke handicap: ik herken mensen niet. Het is me wel eens overkomen dat ik op straat een collega tegenkwam die ik iedere dag in het museum zag, maar wiens hoofd me plotseling niets meer zei omdat ik het niet in zijn gebruikelijke omgeving zag, dat wil zeggen zonder witte jas en in gezelschap van vrouw en kinderen. Wat betreft mijn studenten was mijn geheugen zo selectief dat het tot komische effecten leidde: ik was in staat me tien jaar na dato een gesprek dat ik met een van hen had gehad tot in detail te herinneren, evenals de ideeën die hij of zij toen te berde had gebracht, en dan wist ik ook precies hoe de persoon in kwestie heette, maar het kon me ook gebeuren dat ik diezelfde student een uur na ons gesprek op straat tegenkwam zonder hem of haar te herkennen. Het lijkt wel of de mensen op het intellectuele en morele vlak in mijn ogen duidelijk van elkaar verschillen, maar wat hun fysieke trekken betreft één pot nat zijn.

Nadat ik op die manier ontelbaar veel vijanden had gemaakt, heb ik op een gegeven moment besloten mijn toevlucht te nemen tot een geheugensteuntje uit eigen koker. Aangezien ik had opgemerkt dat ik me nooit vergiste in de specifieke kenmerken van kevers en zelfs in één oogopslag de kleinste nuances kon onderscheiden die anderen slechts door een microscoop zagen, en dat bij duizenden verschillende soorten, en aangezien ik bovendien had opgemerkt dat ieder menselijk wezen specifieke trekken heeft waardoor je hem aan een bepaalde insectensoort kunt koppelen, lag de oplossing voor de hand: op ieder individu plakte ik voortaan een soort codenaam voor persoonlijk gebruik... Men hoeft mij niet op mijn woord te geloven, maar op die manier slaag ik erin om de mevrouw van mijn apotheek te herkennen als ik haar toevallig bij de bakker zou tegenkomen.

Om terug te komen op de vriend van André, ik had nog niet verteld dat hij Emmanuel Liev heette. In die tijd was hij nagenoeg onbekend. Ik herinner me nog de woorden waarmee hij ons verwelkomde.

'Ik had jullie graag de bomen laten zien die in mijn gezelschap ouder worden, maar onze soort is kouwelijk aangelegd, zeker de variëteit Vallauris; ja, André, ik zie jou heel goed van november tot maart overwinteren in een comfortabele leunstoel. Maar misschien moet ik niet zo tegen je praten in gezelschap van je jonge metgezel. Vergeef mij, mijnheer, ik heb André leren kennen toen hij twaalf jaar was, ik was veertien, ik noemde hem "jochie" om hem te plagen, en ik heb mijn voorsprong altijd behouden.'

Wat voelde ik me jong tussen deze twee oude heren, maar dat was ook wel te begrijpen. Toen ik echter mijn blik op André richtte, moet ik een vreemde indruk hebben gemaakt. Hij stond daar, gelukzalig glimlachend, stil, gedrongen en ineengeschrompeld alsof hij was gekrompen, en terwijl ik zo naar hem staarde, ontdekte ik plotseling het kind, het 'jochie' waarover zijn vriend het had, alsof ik nooit eerder had kunnen vermoeden dat André een kind was geweest en zelfs een baby in luiers, omdat ik hem altijd in zijn leunstoel had gezien, als een soort tijdloze sfinx op een sokkel. Een paar kameraadschappelijke schouderklopjes waren voldoende geweest om onder het volwassen pantser het kleine kind tevoorschijn te halen.

Pas toen we binnen waren, hij zijn jas had uitgedaan en zich in de grootste leunstoel had laten vallen, verdween dit visioen en kwam het vertrouwde beeld weer terug.

Emmanuel Liev liet de kwajongensstreken uit Genève ook achterwege en zijn vrolijke grijns kwam tot rust in een bedachtzame glimlach. Tussen zijn wenkbrauwen twee wijze rimpels. Toen hij begon te praten, richtte hij zich vooral tot Vallauris hoewel zijn ogen beleefd tussen ons heen en weer gingen.

'Sinds gisteren heb ik alle feiten die jij hebt verzameld een beetje door mijn hoofd laten gaan en ik geloof dat de dingen die jou bezighouden aansluiten bij sommige problemen die mij al sinds lange tijd zorgen baren. We bespeuren hetzelfde kwaad, ook al hebben we niet noodzakelijkerwijs dezelfde verklaring voor de symptomen.

Neem nou bijvoorbeeld die beruchte "jongensklinieken" die door Indiase artsen aan de kaak zijn gesteld; dat is een ernstige zaak en bovendien niet van gisteren, want het verhaal gaat terug tot de jaren tachtig. We hebben te maken met een moreel dilemma voor artsen, ouders en ook voor de overheid, want dergelijke praktijken, hoe verwerpelijk ook, zijn vaak volstrekt legaal. Men laat zich onderzoeken; als het een meisje is, slikt men een abortuspil. Noch de moeder noch de dokter zal toegeven dat dit je reinste seksuele discriminatie is; integendeel, ze zullen beweren dat ze opkomen voor het recht van de vrouw om haar eigen keuzes te maken. Een moreel dilemma dus, dat tot op heden echter weinig invloed heeft gehad op de bevolkingsstatistieken. Het is tegenwoordig mogelijk om in een tamelijk vroeg stadium het geslacht van een foetus te bepalen, maar het blijft een kostbare aangelegenheid. Deze methode heeft zich alleen in de rijke landen verbreid; in de andere landen wordt er slechts gebruik van gemaakt door een uiterst dunne laag van de stedelijke bevolking, de laag van de rijkste en de hoogst opgeleide mensen. Of het nu gaat om de grote massa in de rijke landen of de elite in de arme landen, het overgrote deel van de vrouwen wil het geslacht van het kind weten uit een gerechtvaardigde nieuwsgierigheid, domweg om het te weten, om eventueel aan de vader te kunnen vertellen "het wordt een meisje", of "een jongen", of "een drieling". Maar hoeveel van hen zijn er zo op gebrand een kind van het ene geslacht te hebben en niet van het andere, dat ze zich zelfs zouden laten aborteren, ook al zou dat gemakkelijk en door de wet geoorloofd zijn en niet in strijd met hun eigen overtuiging? Volgens mij maar weinig. In moreel opzicht is het dilemma hetzelfde, maar als we naar de bevolkingsstatistieken kijken, betwijfel ik of het al van veel betekenis is. Ik weet dat ik geen bewijzen op tafel kan leggen en dat ik uit de losse pols praat over "het overgrote deel", "veel" en "maar weinig"... Maar toch heb ik de innerlijke overtuiging, zoals de rechters dat zeggen, dat het gevaar elders schuilt.'

Een glazen dienwagentje kwam de kamer binnen, voortgeduwd door een dame op leeftijd, elegant en nog zo tenger dat je je niet kon voorstellen dat ze in haar jeugd nog slanker was geweest. Irène Liev. André kuste haar hand en, na een lach, haar beide wangen.

'Ik heb het eten al voor jullie opgeschept. Ik dacht bij mezelf dat het eenvoudige menu jullie op die manier minder zou opvallen. Er is ook wijn.'

Ze ging naast Emmanuel zitten, die zijn glas en bord neerzette zonder er iets van te proeven.

'Wij beginnen vast, hoor,' ging ze verder, 'als die ouweheer aan het praten is, vergeet hij te drinken en adem te halen.'

De 'ouweheer' omvatte haar pols met een eeltige, tedere hand.

'Ik zei dus dat het gevaar elders is. Sinds enige tijd ben ik ervan overtuigd dat het schuilt in een andere gebeurtenis die jouw nieuwsgierigheid heeft opgewekt, André. Een mazelenepidemie, onbelangrijker kan je je het niet voorstellen, in Afrika in de jaren zestig. Weinig slachtoffers, weinig nasleep, geen enkel bericht in de media. Maar voor een handjevol wetenschappers was het alsof er een orkaan was losgebarsten!

Men had inderdaad geconstateerd dat vrouwen die met mazelen besmet waren geweest, haast geen zonen meer ter wereld brachten. Vervolgens heeft men in verschillende landen informatie verzameld over alle mogelijke epidemieën en op die manier een beter inzicht in het verschijnsel gekregen. Ik ben niet deskundig genoeg om jullie de zaak in detail uit te leggen, maar de grondgedachte is dat een vrouw, wanneer ze zich tegen deze ziekte verzet, antilichamen aanmaakt die de foetus in haar aantasten, alsof ze deze met het virus verwarren. Zodra de foetus zich heeft gevormd, wordt hij door hen afgestoten, maar daarbij gaan ze selectief te werk – zoals bij die Afrikaanse mazelen – want sommige antilichamen storten zich alleen op meisjes en andere alleen op jongens. In theorie zou een vrouw dus immuun kunnen raken voor meisjes en alleen nog maar jongens kunnen krijgen, of omgekeerd. Het onderzoek is verdergegaan en waarschijnlijk heeft een onderzoeksteam op een gegeven moment het plan opgevat om een vaccin te ontwikkelen. Ja, een vaccin in de vorm van een injectie, een krasje of misschien zelfs een tablet. Om er zeker van te zijn dat men een jongen zal krijgen, laat men zich "inenten" tegen meisjes waardoor nooit meer een vrouwelijke foetus tot ontwikkeling kan komen.

Maar ik wil nog even op die "jongensklinieken" terugkomen. Ik zei jullie dat het gevaar daarvan minder groot is omdat de gebruikte methode duur is en ook omdat de mensen die teleurgesteld zijn in de uitslag van het geslacht van hun kind, over het algemeen aarzelen om zover te gaan dat ze de zwangerschap afbreken. Maar als dit vaccin zou worden ontwikkeld en onder alle lagen van de bevolking zou worden verspreid, zou deze methode overbodig zijn en zou men niet meer het idee hebben abortus te plegen. Het zou een soort selectief voorbehoedmiddel zijn. In bepaalde landen en bepaalde milieus zou het evenwicht tussen de seksen er niet ernstig door worden verstoord, maar over het geheel genomen zou het een grote ommekeer op de aarde teweegbrengen. En ik moet er niet aan denken wat dat voor gevolgen zou kunnen hebben.'

Hij zweeg en bleef een paar minuten peinzend voor zich uit staren. Toen nam hij voor het eerst een slok wijn en eindelijk verscheen er weer een zweem van een glimlach op zijn gezicht.

'Gelukkig is het onderzoek spaak gelopen. Door onoverkomelijke technische problemen, heeft een collega me uitgelegd. Misschien zullen die op een dag worden verholpen, met alle nare gevolgen van dien, maar ik weet eigenlijk bijna zeker dat het vaccin nog niet is ontwikkeld en dat dat voorlopig ook niet zal gebeuren. Sinds een jaar ben ik daar gerust op. Maar er zijn andere dingen die me bang maken.'

Hij keek diep in zijn glas, alsof hij de toekomst erin wilde lezen.

'Het idee van een vaccin tegen meisjes was al afschuwelijk, maar in sommige hersenen is een nog afschuwelijker idee ontkiemd.

Het is allemaal begonnen met een ogenschijnlijk onschadelijk experiment op runderen. Alweer een paar jaar geleden heeft men bij experimentele kunstmatige inseminaties ontdekt dat het mogelijk was om het sperma van stieren zo te manipuleren dat men naar keuze de geboorte van mannelijke of vrouwelijke runderen kon bevorderen; een methode die overigens heel goed op andere soorten, waaronder de onze, kan worden toegepast. Vervolgens heeft men zich afgevraagd of er niet een mogelijkheid bestond om rechtstreeks bij het dier in te grijpen door het in te enten met een middel dat het geslacht van zijn jongen kan wijzigen. Het onderzoek heeft betrekkelijk snel voortgang geboekt. Er is een stof ontwikkeld waardoor de potentie en de vruchtbaarheid van stieren aanzienlijk toenemen en die een dusdanig stimulerende uitwerking heeft op de spermatozoïden die de ontwikkeling van stiertjes bevorderen, dat de geboorte van vrouwelijke runderen daardoor in hoge mate onwaarschijnlijk wordt.

Het resultaat was precies het tegenovergestelde van wat men had gewenst, want het oorspronkelijke idee was eigenlijk om de veefokkers te helpen meer koeien te krijgen omdat die meer geld opbrengen vanwege de zuivelproducten en de kalveren. De meeste onderzoekers zijn dus van mening geweest dat het onderzoek in de ijskast moest worden gezet, temeer omdat de behandelde beesten gevaarlijk agressief werden. Er zijn echter een paar slimmeriken geweest die hebben bedacht dat er met het middel juist geld te verdienen viel, met name in de sector van de stierengevechten, en dat het ook op andere vechtdieren kon worden toegepast, zoals honden of hanen.

En waarom op een dag niet op mensen? Niet alleen om boksmonsters te creëren, maar om net zoals met het "vaccin" de oeroude wens van honderden miljoenen ouders in vervulling te laten gaan, namelijk te voldoen aan de "plicht" om een zoon te krijgen.

In dat stadium en voordat het onderzoek te ver zou zijn gevorderd, is er ingegrepen. Men zegt dat een aantal biologen zich ernstige zorgen maakte en aan de bel heeft getrokken bij gerenommeerde geleerden, vooraanstaande wetenschappers, bisschoppen en politici. Ik vertel jullie dit allemaal onder voorbehoud, want ik heb maar flarden van het verhaal gehoord, ik weet geen namen en zelfs niet het land waar het laboratorium gevestigd was, hoewel ik daarvan wel een vermoeden heb. Maar dat doet er niet toe. Het belangrijkste is dat er een beslissing is genomen en dat die in stilte is uitgevoerd. Het onderzoek is afgebroken, het geld heeft een andere bestemming gekregen en de leden van het team zijn uit elkaar gegaan.

Sindsdien spits ik mijn oren telkens wanneer ik over zulke kwesties van selectieve geboortemethoden hoor praten, want de kennis is aanwezig, het aantal potentiële kopers is niet te tellen en veel van onze collega's laten zich door winstbejag verblinden. Redenen genoeg om je zorgen te maken.'

'Als ik u zo hoor praten, is het onheil onafwendbaar.'

Emmanuel Liev profiteerde van mijn geschrokken reactie door op luidruchtige wijze nog een slok rode wijn te nemen en schudde vervolgens zijn hoofd.

'Mijn vriend André zal u net als ik zeggen dat alle afschuwelijke dingen mogelijk zijn, maar niets is onvermijdelijk als men maar op zijn hoede is. Om een directer antwoord op uw vraag te geven: het is waar dat dit vermaledijde middel, zuiver technisch gezien, tegenwoordig ongetwijfeld kan worden gemaakt en dat dat misschien al sinds het midden van de jaren negentig het geval is. Op een gegeven moment – daarvan ben ik overtuigd – zal het inderdaad beschikbaar zijn. Het gaat er alleen om wanneer, en of dat zal gebeuren op een moment dat de mannen en vrouwen zover zijn dat ze er op verantwoorde wijze gebruik van weten te maken. Wie ben ik, zult u zeggen, om mijn medemensen op zo'n manier als minderjarigen te behandelen? Dan antwoord ik u dat ik een oude bok van drieënzeventig jaar ben, en dat ik in de loop der jaren de gelegenheid heb gehad om te observeren hoe de mensheid de modernste middelen aanwendt ten behoeve van dingen die zo oud zijn als de weg naar Rome. Men gebruikt wapens uit het jaar tweeduizend om conflicten te beslechten die uit het jaar duizend dateren. Men ontdekt dat atomen een enorme hoeveelheid energie bevatten en maakt er superverdelgers van. En als deze "stof" zou worden gefabriceerd, zou ze dan niet het resultaat zijn van jarenlang onderzoek met de meest geavanceerde technieken? En waartoe zou ze dienen? Om op de vijf continenten miljoenen en nog eens miljoenen meisjes te elimineren omdat een stompzinnige traditie, die teruggaat tot de holenmens, voorschrijft dat families zich voortzetten in de mannelijke lijn. Weer een modern middel dat een achterhaalde zaak moet dienen.

Ja, ik weet dat de mentaliteit zich in navolging van de techniek ontwikkelt, het een werkt het ander in de hand, ze volgen elkaar op. Maar niet altijd ontwikkelen ze zich in hetzelfde tempo. Soms, wanneer er gevaar dreigt, moet men de opmars of de wildgroei van de techniek proberen af te remmen. In 1945 was de atoombom klaar voor gebruik en men heeft haar meteen in de strijd geworpen zonder ook maar het flauwste benul te hebben van de gevolgen die dit zou hebben; dit heeft honderdduizenden slachtoffers gemaakt zonder de uitkomst van de oorlog te veranderen, hoogstens zijn de gevechten in het gebied van de Stille Oceaan een paar maanden eerder afgelopen. Als de bom in 1943 al beschikbaar was geweest, zou Hitler haar hebben gebruikt tegen Londen en vervolgens tegen Moskou, New York en Washington; dan zou de geschiedenis een totaal andere wending hebben genomen, en zelfs onze families, arme André, zouden in Zwitserland niet meer veilig zijn geweest. Ik vertel hier niets nieuws; ik wil alleen maar nadrukkelijk wijzen op de factor tijd. Ik had liever gezien dat de bom nooit was gemaakt of pas over tweehonderd jaar, maar ik ben blij dat ze niet twee jaar te vroeg klaar was. Ook ben ik dankbaar dat het fabriceren van zo'n bom een moeilijke en kostbare techniek is en dat, zo er al sprake zou zijn van proliferatie, deze slechts uiterst langzaam plaatsvindt. Hetzelfde geldt voor dat vervloekte middel. Als dit pas over dertig jaar verspreid wordt, durf ik de hoop uit te spreken dat de mensheid er geen misbruik van zal maken. Maar nu? Jullie zien toch in wat voor wereld we leven!'

Ik moet bekennen dat ik op dat moment slechts een vaag vermoeden had van waarop hij kon zinspelen; ik wierp een heimelijke blik naar André die verbijsterd met zijn baard knikte, en vervolgens naar Irène Liev die vroeg: 'Had men niet eerder kunnen ingrijpen om een stokje te steken voor een onderzoek dat overduidelijk op dit rampzalige resultaat gericht was?'

'Dat zijn dingen die achteraf worden gezegd, maar op het moment zelf wil geen enkele wetenschapper dat de autoriteiten, wie zij ook zijn, in zijn proefbuisjes komen snuffelen. Onze jonge vriend zal je dat kunnen bevestigen. En bovendien is het onderzoek zelf niet in het geding. Je haalt toch niet de vier wielen onder een auto weg om te zorgen dat hij niet uit de bocht vliegt? Het is gemakkelijker om je rijstijl te veranderen.

Laat ik een voorbeeld uit mijn eigen vakgebied nemen. Er is onder mijn collega's een man die twintig jaar van zijn carrière heeft besteed aan het ontwikkelen van steeds zwaardere appelsoorten die echter minder smaak en minder voedingswaarde hebben dan de appels die we doorgaans eten, en die als enige verdienste hebben dat ze de minst gewetensvolle fruittelers meer geld opleveren.

Ik heb een andere collega, een Venetiaanse, die na dertig jaar proeven doen erin is geslaagd om de grootte van een bepaalde soort rijstkorrel te verdubbelen en tegelijkertijd het vitaminegehalte ervan te verhogen, zodat tegenwoordig bijna tweehonderd miljoen mensen dankzij haar een betere voeding hebben.

Deze twee onderzoekers hebben dezelfde boeken bestudeerd en zich gebaseerd op dezelfde fundamentele ontdekkingen en dezelfde technieken. Alleen hebben ze er niet op dezelfde wijze gebruik van gemaakt.'

I

Toen ik die avond in Parijs terugkwam, ging ik achter mijn werktafel zitten, niet om verder te gaan met mijn lezing, maar om woord voor woord op te schrijven wat Liev had gezegd voordat dit door mijn drukke werkweek naar de achtergrond zou worden verdrongen. Ik dacht er in die tijd niet aan dat ik op een dag een boek over deze herinneringen zou gaan schrijven; ik wilde alleen Clarence op papier wat elementen aanreiken die haar bij haar onderzoek zouden kunnen helpen. Ik had haar immers als collega mijn diensten aangeboden.

Toen ze omstreeks middernacht uit Sète terugkwam, reageerde ze precies zoals ik had gehoopt, tot aan het knipperen met haar oogleden toe. Met haar handen vol vellen papier die met verkreukeling werden bedreigd, begon ze op blote voeten door de slaapkamer te ijsberen, terwijl ik haar stiekem gadesloeg. Vervolgens zei ze alleen maar: 'En nu zet ik door!' Om zich daarna plat op haar rug dwars op bed te laten vallen.

Nu was er inderdaad meer dan genoeg onderzoeksmateriaal. Er ontbraken weliswaar namen, plaatsen en data, maar dat speurwerk schrok haar niet af, ze zou alle sporen tot hun oorsprong volgen, mensen aan de praat krijgen en zo nodig informatie achteroverdrukken. Bij de krant zouden er beslist zure gezichten worden getrokken!

Was dat dan je bedoeling, zult u mij vragen, Clarence de mogelijkheid bieden revanche te nemen op de collega's die haar hadden uitgelachen? En het gevaar zelf dan? Die miljoenen meisjes die niet geboren mochten worden, slachtoffers van die discriminerende 'stof'? Natuurlijk speelde dit alles door mijn hoofd, maar als het niet voor mijn partner was geweest, zou ik mezelf niet hebben gedwongen een gesprek van drie uur op papier te zetten. De bange vermoedens van Liev, die Vallauris leek te delen, hadden me, als ik dat zo mag zeggen, eerder met eerbied dan met schrik vervuld. Naar alle waarschijnlijkheid was dit alles het resultaat van getheoretiseer van intellectuelen op een zondag in beschaafd gezelschap, in een landhuis in de buurt van Orléans. Als we het in net zulke verontrustende bewoordingen hadden gehad over kernenergie, drugs, aids of het smelten van de ijskap, zou ik geïnteresseerd, geïntrigeerd, geëmotioneerd en gealarmeerd zijn geweest, zonder dat ik me er noodzakelijkerwijs meer bij betrokken zou hebben gevoeld dan miljarden anderen van mijn soortgenoten. Ik zou niet willen beweren dat ik de loopbaan van mijn partner belangrijker vond dan het lot van de wereld, maar ik gedroeg me wel alsof dat het geval was. Wie durft mij daarop aan te vallen? Hebben andere mensen tijdens slapeloze nachten dan minder bekrompen gedachten?

De hoofdredactrice keek niet vrolijk toen ze opnieuw hoorde praten over het onderwerp dat in haar veronderstelling definitief in gelach was gesmoord. Toch kon ze de nieuwe argumenten die de vasthoudendheid van Clarence schenen te rechtvaardigen, niet klakkeloos van tafel vegen.

'We zullen volgende week maandag tijdens de redactievergadering een beslissing nemen. Maar eerst wil ik dat je met Pradent gaat praten om te voorkomen dat we niet op een verkeerd spoor raken.'

Is het nog nodig om te vertellen wie Pradent is? Waarschijnlijk is hij inmiddels enigszins in de vergetelheid geraakt, maar destijds was hij zo bekend, zo alomtegenwoordig dat zijn naam alleen al genoeg zei. Ik geloof dat hij even in de regering heeft gezeten, maar ik zou de kabinetslijsten moeten nagaan om te weten wanneer dat was en welke portefeuille hij had. In de tijd waarover ik spreek, was hij voorzitter van een aantal commissies en stichtingen en 'adviseur' van de krant van Clarence waarvan hij flink wat aandelen bezat. Een man met macht die de publieke opinie kon beïnvloeden.

Mijn partner wilde hem best ontmoeten – ze had trouwens geen keus – maar de avond tevoren was ze behoorlijk geprikkeld. Ze zou het met gemak hebben opgenomen tegen welke beroemdheid dan ook, zolang die persoon maar zijn of haar rol speelde en zij de hare; maar bij deze afspraak met Pradent had ze de indruk dat ze haar verhaal aan de man moest brengen. Dat beviel haar niet en daarbij vond ze dat ze niet genoeg van het onderwerp af wist. Ik stelde voor met haar mee te gaan aangezien ik rechtstreeks contact had gehad met Liev, maar mijn aanbod werd met een trots schouderophalen afgewezen…

Pradent toonde zich welwillend en beminnelijk en liet zijn bezoekster het onderwerp van haar onderzoek uiteenzetten zonder haar te onderbreken, het enige wat hij deed was haar van tijd tot tijd met een begrijpend knikken aanmoedigen. Ze vertelde alles tot in de kleinste details, zonder evenwel Liev of Vallauris met naam en toenaam te noemen of het woord 'scarabee' te laten vallen uit angst dat dat een sarcastische opmerking zou uitlokken. Maar Pradent was van tevoren op de hoogte gebracht.

'Muriel Vaast heeft me verteld dat u bepaalde Egyptische capsules in uw bezit hebt.'

'De "bonen van de scarabee". Ik heb ze niet ter sprake gebracht omdat niets erop wijst dat ze met deze zaak verband houden.'

'Dat weet je nooit! Hoe zei u? De "bonen van de scarabee", ik heb daar al eens van gehoord, maar het geheugen op mijn leeftijd...'

Hij zweeg even, kneep zijn ogen dicht en Clarence wachtte netjes totdat hij uitgepiekerd was. Toen zei hij: 'Ik hoop dat het me nog te binnen schiet, maar laten we liever terugkomen op hetgeen u mij uit de doeken hebt gedaan. Mijn eerste, impulsieve reactie is dat het allemaal nogal verward en onduidelijk is. Het enige tastbare feit is – dunkt me, en ik neem aan dat u dat hebt geverifieerd – die wanverhouding in sommige landen tussen het aantal jongens en het aantal meisjes dat wordt geboren. Dat zijn echter verschijnselen die je pas na een jaar of tien aan een wetenschappelijk onderzoek kunt onderwerpen, eerder niet. Overigens wil ik best aannemen dat wat men u heeft verteld een kern van waarheid bevat. Laat ik duidelijk zijn: ik denk het niet, maar ik wil best aannemen dat er op een dag een eenvoudige en doeltreffende methode zal worden uitgevonden om het aantal geboorten in bepaalde delen van de wereld te beperken. Maar zou dat een wereldramp of genocide zijn? Ik denk van niet. Er zijn overbevolkte landen waar men niet genoeg te eten heeft; de regeringen van die landen hebben op alle mogelijke manieren geprobeerd om de bevolkingsexplosie onder de duim te houden, met weinig en soms geen enkel resultaat. Als er morgen of zelfs vandaag een middel zou worden gevonden om het geboortecijfer zonder geweld, zonder dwang en met de vrijwillige toestemming van de ouders omlaag te brengen...'

Aan iets in de ogen van zijn bezoekster moet Pradent hebben gemerkt dat zijn argument doel had getroffen. Hij keek haar met een indringende blik recht in de ogen.

'Ja, als zo'n oplossing zou worden gevonden, wat zou er dan zo schandalig en crimineel aan zijn? Toen China de regel van één kind per gezin wilde opleggen, hebben veel ouders in Sjanghai en elders dokters en verpleegsters omgekocht om hun eerste kind "weg te moffelen" als het een meisje zou zijn. In India zijn onlusten uitgebroken toen men sterilisatie verplicht wilde stellen; de mannen hadden het idee dat ze hun mannelijkheid en daarmee hun eer zouden kwijtraken. Als het middel waarover u het hebt toen voorhanden was geweest, zou men hetzelfde resultaat hebben bereikt zonder de gevoelens van de mensen te kwetsen, maar juist door aan hun wensen gehoor te geven.'

Clarence zag eruit alsof ze plotseling uit een lange, hypnotische slaap ontwaakte.

'Als ik het goed begrijp, zullen hele bevolkingsgroepen worden gesteriliseerd, terwijl de mensen zelf zullen denken dat ze potent en vruchtbaar zijn en ze bovendien hun vurige wens van twee, drie of vier zonen in vervulling zullen zien gaan.'

'Er is geen sprake van hele bevolkingsgroepen steriliseren, maar we kunnen niet ontkennen dat als een dergelijk middel zou bestaan en zou worden verspreid, dit op termijn de oplossing zou zijn in gebieden waar het probleem van de overbevolking het acuutst is.

Kijkt u eens naar de huidige wereld. Die is duidelijk in tweeën verdeeld. Aan de ene kant heb je samenlevingen met een stabiele bevolking, waar de welvaart voortdurend toeneemt, waar de democratie alsmaar terrein wint, waar de techniek bijna dagelijks vooruitgang boekt, waar de levensverwachting alleen maar stijgt, waar men leeft in een ware gouden eeuw van vrede, vrijheid, voorspoed en vooruitgang zoals we nog nooit eerder in de geschiedenis hebben meegemaakt. Aan de andere kant zien we landen waar het aantal inwoners onophoudelijk groeit terwijl hun levensstandaard steeds verder daalt, grote steden die zich als inktvlekken uitbreiden en die voor hun voedsel afhankelijk zijn van aanvoer per boot, staten die de een na de ander in chaos terugvallen.

Sinds tientallen jaren zoekt men naar een oplossing, maar elke dag wordt de ellende groter. De mensheid is duidelijk in twee groepen verdeeld die door een onoverbrugbare kloof van elkaar worden gescheiden. Als ons plotseling door de goddelijke voorzienigheid een oplossing zou worden aangereikt, wie zou zich daar dan over beklagen? Zouden de leiders van de derde wereld protesteren, terwijl ze onophoudelijk nieuwe monden moeten voeden en zien dat de bescheiden productieverbetering tenietgaat, wordt weggevaagd en verdrinkt in een vloedgolf van bevolkingsaanwas? En wij, de bevoorrechte mensen, een steeds kleinere minderheid, wensen wij ook niet dat onze soortgenoten in het zuiden wat welvarender en wat minder talrijk worden? Zegt u me maar wie het erg zou vinden als er een oplossing werd gevonden.'

Clarence zag inderdaad niet, nog niet, wie zich daar nu over kon beklagen. Op dat moment had ze het idee dat de argumentatie van Pradent op een onweerlegbare logica berustte. Daarom probeerde ze, in een soort natuurlijke reflex, haar gesprekspartner terug te voeren naar het gebied waarop ze zich beter in staat voelde om hem het hoofd te bieden.

'Uw betoog heeft indruk op me gemaakt, dat moet ik u heel eerlijk bekennen, en ik zal er hierna goed over nadenken. U hebt de vinger gelegd op een wezenlijk probleem van onze huidige tijd. En juist omdat het een wezenlijk probleem is, zou het ook normaal zijn als onze krant erover zou berichten en er zelfs veel meer aandacht aan zou besteden dan ik me had voorgesteld voordat ik uw kantoor binnenkwam.'

'Ik ben blij dat mijn verhaal u heeft aangesproken, maar

het is slechts één van de vele meningen waarover al heel lang een discussie gaande is. Dat is niets nieuws. Als u een keer van plan bent om de problemen in de derde wereld te behandelen, moet u maar langskomen, want ik kan u nog heel wat leren. U moet echter goed weten dat ik tijdens dit informele onderhoud alleen maar hardop heb zitten filosoferen over een hypothetisch geval dat u aan mij hebt voorgelegd, te weten het bestaan van een middel waarmee je zelf het geslacht van je kinderen kan bepalen. Voorzover ik weet, bestaat een dergelijk middel niet. Als het nu overal ter wereld, van India tot aan Egypte, verkrijgbaar zou zijn, gelooft u dan dat dit geheim zou kunnen blijven?'

Hij keek vluchtig op zijn horloge om Clarence te laten merken dat het onderhoud moest worden beëindigd. Ze liet zich echter niet afschepen.

'Ik wil best geloven dat deze geschiedenis nergens op berust, maar ik zou de zaak graag tot op de bodem uitzoeken.' Pradent stond met een soepele beweging op, zonder ergens op te leunen.

'Ik kan uw vasthoudendheid begrijpen, ik ben ook jong en koppig geweest. Maar neemt u het nou maar van deze oude man aan, dat het zonde zou zijn van uw tijd.'

'Ik kan het toch uitzoeken? Ik kan toch wel tegen Muriel Vaast zeggen dat u daar geen bezwaar tegen hebt?'

Het gezicht van haar gastheer verstrakte.

'Jongedame, er is een misverstand in het spel... U bent hier gekomen om mij om advies te vragen, ik heb u naar beste kunnen raad gegeven en daar houdt mijn rol op. Als u uw onderzoek wilt uitvoeren, moet u er met uw hoofdredactrice over praten.'

Toen hij haar naar de deur bracht glimlachte hij weer, enigszins geforceerd, en hij zei tot slot: 'Hoe het ook zij, zodra ik iets heb gevonden wat een tipje van de sluier kan oplichten, zal ik het u zeker laten weten. U of mevrouw Vaast.'

Dat ik de strekking van dit gesprek zo goed heb kunnen weergeven komt – u raadt het al – omdat Clarence mij na terugkomst een getrouw verslag uitbracht. Toen ze klaar was, voegde ze er echter, nadenkend en onvoldaan aan toe: 'Nu weet je wat Pradent me heeft verteld, maar ik ben bang dat ik de essentie heb overgeslagen.'

Ze zweeg en zocht naar woorden of naar een beeld dat nog vers in haar geheugen lag.

'Toen hij het woord "stof" noemde, merkte ik dat zijn gezicht vertrok en dat zijn stem trilde; ik kan het absoluut niet bewijzen, maar daardoor ben ik ervan overtuigd dat hij het had over iets wat bestond en niet domweg over een hypothese. Ook al drukte hij zich nog zo omzichtig uit.'

Ze dacht opnieuw na.

'Toen hij de "bonen van de scarabee" ter sprake bracht, maakte het ook een vreemde indruk op mij...'

Toen Clarence de volgende dag tijdens de redactievergadering opnieuw over haar plannen begon, werd er hier en daar geglimlacht, maar daar stoorde ze zich niet aan, want ze had al haar aandacht nodig voor het presenteren van de belangrijkste bewijsstukken, met name de gegevens die Vallauris had verzameld. Muriel Vaast liet haar uitpraten en vroeg vervolgens: 'Je hebt Pradent toch gezien? Wat vond hij ervan?'

'Hij denkt dat het probleem de moeite waard is om onderzocht te worden, maar dat de informatie die ik tot mijn beschikking heb, nog niet voldoende basis biedt.'

'Als ik het goed heb begrepen, is hij van mening dat het louter speculaties zijn.'

Clarence wilde reageren, maar haar hoofdredactrice legde haar met een geruststellend gebaar het zwijgen op.

'Ik moet toegeven dat het verhaal wel wat elementen bevat die nieuwsgierige mensen terecht zullen intrigeren, zoals die "bonen van de scarabee". Geloof je werkelijk dat ze verband houden met het verschijnsel dat je hebt onderzocht?'

'Ik mag geen enkel spoor veronachtzamen. Vooral dit niet.'

'Ik heb de indruk dat je er met Pradent over gesproken hebt...'

'Hij heeft gezegd dat de bonen hem aan iets deden denken, maar hij kon zich toen niet herinneren wat.'

'Nu wel. Vanmorgen heeft hij ons dit toegestuurd.'

Muriel Vaast haalde een ingebonden boek uit haar tas en begon voor te lezen.

'"Mijn vrienden en ik zijn een van die winkeltjes binnengegaan die in dit gehucht als apotheek dienen. We kregen Turkse kompressen aangeboden, zalfjes waardoor we de rest van onze bootreis een uur in de wind zouden hebben gestonken, en ook de beroemde 'bonen van de scarabee' waarvan men ons de zinnenprikkelende werking al had aangeprezen; we sloegen alles af, deels uit wantrouwen, deels uit schaamte." Dit boek heet *Mon voyage sur le Nil* en is geschreven door Gustave Meissonnier. Het is uitgebracht in...' (ze sloeg een paar bladzijden om en nam de tijd om ostentatief te zoeken) '...in Marseille, in 1904.'

En daarmee was de kous af.

Maar wat te zeggen van Clarence? Van haar gekrenkte ziel? Haar gekwetste hart? Haar uitgebluste ogen?

Totaal uit het veld geslagen.

Ik had liever gezien dat ze schreeuwde, vloekte, met deuren smeet of een lamp die toch al lelijk was kapotgooide. Maar nee, ze had niet eens de kracht om een traan van het puntje van haar neus te vegen. Ik hoorde slechts in chaotische flarden wat zich had afgespeeld: de valstrik, het aanzwellende gelach, de collega die zich tussen twee proestbuien door excuseerde omdat hij moest hikken. Ze had haar vingers in haar oren gestopt, was weggerend, de trap af gestormd, snikkend een taxi in gedoken. In ons appartement had ze zich meteen op bed gegooid en daar had ik haar bij thuiskomst aangetroffen.

Ik vond het niet erg om de rol van vertrooster op me te nemen, maar ik maakte me ongerust. In de daaropvolgende dagen moest ik verschillende malen denken aan een scène uit een Poolse film uit de jaren zeventig. Daarin beklaagt een journalist zich op bittere wijze tegen een bevriende psychoanalyticus over de beslommeringen van zijn beroep die zijn leven ondraaglijk maken. 'Als je jezelf maar goed inprent', antwoordt de ander, 'dat het ergste wat je kan overkomen, is dat je je overlevingsinstinct kwijtraakt.' Dat was precies waar ik bij mijn geliefde journaliste bang voor was: dat ze zou instorten, van slag zou raken, in een zwart gat zou vallen. De rest van de week meldde ik me ziek om haar hand te kunnen vasthouden.

'Je moet er niet steeds aan denken, niet blijven piekeren, spuw je gal uit in plaats van alles in je op te kroppen!'

Mijn remedie was eenvoudig: aanwezig zijn, lief met haar babbelen en eindeloos lang ontbijten voor het grote raam. Zo bleven we dagenlang kopjes thee drinken, toast peuzelen en de meest verrukkelijke futiliteiten uitwisselen, en wanneer de stilte te beklemmend werd, vertelde ik over insecten; ik had honderden anekdotes verzameld en met de ene kwam de andere naar boven, net als bij een doos papieren zakdoeken.

Algauw droogde Clarence haar tranen, maar ze bleef lusteloos, alsof ze was uitgeblust. Ze zei dat ze het niet kon opbrengen om weer naar de krant terug te gaan, en ik moedigde haar aan om haar baan op te zeggen. Hetzij om een andere te nemen waar ze meer waardering zou krijgen, hetzij – ik zei het slechts tussen neus en lippen door – om een lange pauze in te lassen waarin Béatrice ter wereld zou kunnen komen.

'Zoals ik er nu aan toe ben, zou ze een heel ongelukkig meisje worden. Ik had willen stoppen op het hoogtepunt van mijn carrière, als het succes van me afstraalde, ik had gewild dat het kind de bekroning van mijn geluk zou zijn, niet een troostprijs, niet een remedie tegen gedeprimeerdheid.'

'Waarom zeg je "remedie"? Als ze jou door haar komst zou helpen om deze moeilijke periode door te komen, zou ze toch eerder een bondgenote en een handlangster zijn? Ik zou haar zelfs "reddende engel" noemen!'

Mijn partner keek me aan met een vreemde blik waarin ik een soort vertederd onbegrip las. Toen liet ze zich op een quasi-branieachtige toon ontvallen: 'Als ik een dezer dagen ja zeg, is het omdat ik van je hou.'

'Ik zou geen betere reden kunnen bedenken.'

Het was al ja.

Ze vertelde het me op de dag dat ik mijn lezing moest houden over de auto en de kevers. Ik had nog steeds niet de nodige uren van concentratie gevonden om mijn verhaal op papier te zetten en had besloten om het met een paar aantekeningen op een kaartje te doen; dat deed ik vaak als ik college moest geven, maar met een ander gehoor en een minder vertrouwd onderwerp durfde ik niet al te veel op mijn tegenwoordigheid van geest te rekenen.

Ik had dus slecht geslapen, was wakker geworden met een ongenietbaar humeur, mijn hoofd was vanbinnen één groot zwart gat en ik voelde me alsof ik naar de slachtbank ging… Toen ik wegging, vertelde Clarence me op fluistertoon, hoewel we duidelijk alleen waren, dat ze 'geen voorzorgsmaatregelen meer zou nemen'.

Iedereen was het er die woensdag over eens dat ik een schitterend en overtuigend betoog had gehouden, dat ik een buitengewone kennis van het onderwerp had en onmiskenbaar een begenadigd spreker was… Ik schudde tientallen handen, terwijl ik bij elk compliment dat ik in ontvangst nam, tegen mezelf zei: 'Dank je wel, Clarence, dank je wel, Béatrice.'

En toen ik die avond mijn geliefde bij haar middel pakte, hadden we allebei het gevoel alsof we voor het eerst naar onze slaapkamer gingen.

Terwijl ik haar uitkleedde, vroeg ze me plagerig: 'Hou je eigenlijk van mij of van je dochter?'

'Op dit moment hou ik van de hele wereld, maar ik wil dat aan jouw lichaam duidelijk maken.' Ze deed alsof ze tegenstribbelde.

'Door jouw schuld zal mijn lichaam over een paar maanden wanstaltig zijn.'

'Wanstaltig, een buik die zo rond wordt als de aardbol? Wanstaltig, borsten die zich vullen met melk, die hun bruine lippen aan de lippen van het kind aanbieden, armen die vlees tegen vlees aandrukken, en het ene gezicht dat zich over het andere buigt? God, dat is het mooiste beeld dat een sterveling kan aanschouwen. Kom!'

Op dat moment gaat in kuise films een lamp uit, een deur dicht of wordt er een gordijn neergelaten. En in sommige boeken wordt een pagina omgeslagen, maar langzaam, zoals die minuten voorbij moeten gaan, langzaam, en zonder enig ander geluid dan het geritsel van een laken.

J

Béatrice is in de laatste nacht van augustus geboren, iets te vroeg, alsof ze het begin van het schooljaar niet wilde missen, een vlijtige leerlinge, maar meteen ook al een herrieschopster die haast niet sliep, een gulzigaard met kromme voetjes die onophoudelijk raadselachtige tekens maakten. Een vreemd, roze insect.

De volgende ochtend – ik was alleen in het appartement, had me geschoren en aftershave op gedaan – maakte ik neuriënd aanstalten om de twee vrouwen van mijn leven in de kraamkliniek op te zoeken, toen ik een telefoontje kreeg van de laatste persoon die ik verwachtte. Muriel Vaast. Ze had Clarence willen spreken.

Muriel Vaast! De weinige keren dat haar naam nog in onze gesprekken opdook, fungeerde die als een blikken schietschijf in een kermistent. Maar de tijd van wrok en verbittering was voorbij, de tijd van Béatrice was aangebroken en mijn stem klonk bijna vriendelijk.

'Clarence is een tijdje afwezig.'

'Neem me niet kwalijk, maar... woont ze nog steeds op dit adres?'

'Meer dan ooit!'

Ik weet niet zeker of ik met mijn uitroep van geluk wel aan het juiste adres was. Ze kuchte, klaarblijkelijk in de war gebracht door dit familiaire gedrag.

'Ik had haar graag willen spreken...'

'Ik kan vragen of zij u terugbelt als ze weer thuis is.'

'Nee, want misschien doet ze dat dan niet. Wilt u haar namens mij zeggen...'

'Als u wilt kan ik uw boodschap opnemen.'

'O ja, dat is misschien het beste.'

Ik zette het antwoordapparaat aan.

'Beste Clarence. Ik wilde je mijn verontschuldigingen aanbieden, ik ben er laat mee, maar ik meen het oprecht en heb er goed over nagedacht. Ik heb van de zomer vaak moeten terugdenken aan... Nee, dit gaat niet, ik zal haar toch maar liever een briefje schrijven.'

'Zoals u wilt.'

Deze spijtbetuiging na tien maanden leek me een beetje verdacht. Het ongenoegen waarvan Clarence luidkeels blijk gaf, bleek twee dagen later gerechtvaardigd, toen op de voorpagina van verschillende dagbladen de samenvatting van een rapport van de Verenigde Naties werd gepubliceerd over de 'discriminerende geboortecijfers', een uitdrukking die vanaf dat moment helaas veelvuldig zou opduiken.

Volgens de schrijvers – een stuk of tien deskundigen uit verschillende landen – was er een duidelijke daling van het aantal vrouwelijke geboorten geconstateerd 'zonder dat hiervoor één specifieke oorzaak is aan te wijzen'. Het ging eerder – maar het rapport bleef vaag – om 'een geheel van opzichzelfstaande factoren die zich, naar het schijnt, hebben samengevoegd en aldus deze evenwichtsverstoring hebben veroorzaakt.' Het rapport noemde met name 'de steeds vaker voorkomende zwangerschapsonderbreking van discriminerende aard en de verbreiding van bepaalde selectieve bevruchtingsmethoden'. Het verschijnsel zou zich de vier voorgaande jaren aanzienlijk uitgebreid hebben en had zich uitgestrekt naar alle continenten, zij het dat het zich niet overal in dezelfde mate openbaarde.

Alvorens nader in te gaan op de discussie die daarop volgde, moet ik bekennen dat deze mij voortdurend heeft verrast, in positieve en in negatieve zin, en dikwijls in de war heeft gebracht. Komt het door mijn omgang met kevers dat ik zo volslagen onkundig en naïef blijk te zijn zodra het om mensen gaat?

Ik zou hebben gedacht dat het rapport het overlevingsinstinct van de mensen zou wakker schudden, maar het veroorzaakte alleen wat gehakketak tussen deskundigen. Ik zou niet durven beweren dat mijn soortgenoten elk instinct om te overleven ontberen, noch als individuen, noch in groepsverband, noch, in mindere mate, als ras. Toch zitten we te complex in elkaar om ons in onze handelingen resoluut en voortdurend door een dergelijk instinct te laten leiden; het verdwaalt in een donker bos van ideeën, gevoelens en impulsen die dusdanig de overhand hebben dat ze de noodzaak om te overleven voor ons verbloemen. Dit komt overigens ook voor bij sommige insecten, maar daarover kom ik later nog wel te spreken.

Op dit punt in mijn verhaal wil ik alleen maar aanduiden dat het rapport veel tongen in beroering bracht, maar dat telkens wanneer het ter sprake kwam, de verwarring groter werd en de waarschuwing die erin vervat was, steeds minder hoorbaar en geloofwaardig. Na een paar dagen leek alles wat de experts hadden gezegd tegelijkertijd waar, onwaar, van wezenlijk belang en overbodig. Resultaat: nihil. Maar leefden we ook niet in het tijdperk van de verblindende verlichting?

In mijn herinnering blijft deze discussie verbonden met de geboorte van Béatrice. Voor mijn piepkleine familie brak er een nieuwe tijd aan, maar misschien ook wel voor de rest van de mensheid. Wanneer 'de genodigde' ons 's nachts wekte, en dat deed ze iedere nacht en meer dan eens per nacht, hadden Clarence en ik de merkwaardige gewoonte om samen op te staan, zij om borstvoeding te geven en ik – hoe gek het ook klinkt – om haar zachtjes artikelen voor te lezen die met haar onderzoek te maken hadden, waardoor we deze periode zonder overdreven ongerustheid beleefden. Nu was het wel zo dat we allebei vrij hadden, aangezien mijn colleges in principe pas in oktober weer begonnen en ik bovendien had gevraagd om een vrijstelling van mijn onderwijstaak tot het eind van het eerste semester.

Dat was niet helemaal het jaar studieverlof dat ik Clarence had beloofd, maar haar eigen verlof zou nog korter duren. De maand november was nog niet begonnen of ze zette een punt achter dit gedwongen werkloze bestaan; na tweemaal een valse start stond ze te trappelen om haar onderzoek nu eindelijk van de grond te krijgen.

'Ik laat jou en je dochter met rust', kondigde ze op een dag aan, met een opgeluchte lach en met haar hand op de deurknop. En ze ging weer op pad.

Haar eerste bezoek bracht haar in de buurt van Orléans, bij Emmanuel Liev, op mijn aanbeveling. Maar al heel snel raakte ik haar spoor bijster. Ze riep me tussen twee douches door toe dat ze naar Rome ging, of naar Casablanca, of naar Zürich; twee dagen later begreep ik uit een haastig neergekrabbeld berichtje dat ze thuis was geweest 'om zich te verkleden' en vervolgens weer was vertrokken. Dit geren en gevlieg ging drie weken door. Muriel Vaast belde haar bijna dagelijks, maar Clarence had een afspraak gemaakt met een grote krant die haar alle kosten van haar onderzoek al vooruit had betaald.

Haar artikel werd in december gepubliceerd, vlak voor Kerstmis, en naar mijn mening bevatte het de eerste concrete informatie over het drama dat de kop opstak. Ik zeg dit niet als geliefde, maar als wetenschapper en trouwe lezer. Ik had alles verzameld wat in de belangrijke internationale kranten was verschenen. Op zijn beurt had André mij overstelpt met knipsels, en ik kan met zekerheid zeggen dat er vóór het onderzoek van Clarence alleen maar wat losse feiten en veronderstellingen op een rijtje waren gezet. Zij had echter verder weten te gaan, dankzij de nauwkeurige aanwijzingen van Liev.

Allereerst kon ze met bewijsmateriaal aantonen dat een onderzoeksteam, aangemoedigd door het succes van een aantal experimenten op runderen, het plan had opgevat om een middel te ontwikkelen waarmee de geslachtsorganen van de vader konden worden behandeld om de kans op de geboorte van een zoon te vergroten. Nu was er van hogerhand inderdaad ingegrepen en was het team weliswaar gestraft en ontmanteld, maar het onderzoek was toen al voldoende gevorderd om te worden overgenomen door andere laboratoria in landen waar minder streng toezicht werd gehouden.

Met name één man zou zich hebben gewijd aan de dubbele taak van het maken en verkopen van de 'stof', een zekere dokter Foulbot, tegenwoordig helaas een maar al te bekende naam; hij was niet het wetenschappelijke maar wel het ware commerciële brein van het onderzoeksteam. Hij zou algauw het idee hebben gehad om zich in het buitenland te vestigen, in verschillende zuidelijke landen een aantal bedrijven te kopen die al jarenlang pseudo-farmaceutische producten vervaardigden, en onder hun naam zijn nieuwe middel op de markt te brengen.

Een van deze bedrijven was gevestigd in een havenstad aan de Rode Zee en vervaardigde al twee eeuwen die 'bonen van de scarabee'. Clarence deed uit de doeken hoe dokter Foulbot deze onderneming in de jaren negentig had overgenomen en had veranderd in een multinational met weinig naamsbekendheid maar met veel vestigingen.

'Deze man had het geniale idee gehad om onder een oud etiket een nieuw product op de markt te brengen, maar zonder er veel ruchtbaarheid aan te geven om de autoriteiten niet wantrouwig te maken. De "bonen van de scarabee" en soortgelijke producten zijn nooit helemaal legaal geweest, maar ze werden getolereerd en sinds mensenheugenis door een netwerk van verkopers aan een uitgebreide kring van goedgelovige klanten geleverd. Foulbot verschafte deze mensen plotseling, en geruisloos, een middel dat werkelijk doeltreffend en zo goed als onfeilbaar was. Daarbij gokte hij erop dat zijn product door mond-tot-mondreclame gauw genoeg bekendheid zou krijgen; zo zou het aantal kopers met rasse sprongen toenemen, terwijl iedere klant zelf dacht dat hij de aloude deugden van het product pas laat ontdekte; ondertussen zagen de autoriteiten er geen gevaar in aangezien ze er al jarenlang aan gewend waren diezelfde zogenaamde wonderpoedertjes van de hand te zien gaan. Bij wijze van laatste voorzorgsmaatregel, genomen naar 't schijnt nadat de eerste krantenartikelen over de "scarabee" waren verschenen, had Foulbot nog meer verschillende etiketten laten maken en de verpakkingen gevarieerd.'

Sinds zeven jaar zou de 'stof' op grote schaal zijn verkocht, vooral in de landen op het zuidelijk halfrond, en onder oneindig veel verschillende benamingen, waardoor Foulbot – dat zal u niet verwonderen – een gigantisch vermogen had weten te vergaren.

Clarence was zo verstandig om niet uit te weiden over de mogelijke gevolgen van een grootschalig gebruik van de 'stof', ze behandelde dit aspect slechts in algemene bewoordingen in de laatste alinea en beperkte zich voor de rest tot een uiteenzetting van de feiten en een goed onderbouwd betoog om aan te tonen dat die feiten op werkelijkheid berustten.

Het was trouwens dankzij haar onderzoek en een aantal latere onderzoeken, die in hoge mate door het hare waren geïnspireerd, dat bepaalde waarheden niet meer in twijfel werden getrokken, zoals het bestaan van de 'stof', de brede verspreiding ervan en de doorgaans welwillende houding ten aanzien daarvan. Waarover daarentegen een felle discussie werd gevoerd, en dat jaren achtereen, kan in twee vragen worden samengevat: Zou de 'stof' een duurzame en ingrijpende invloed op de wereldbevolking kunnen hebben? En zo ja, zou deze ontwikkeling, alles bij elkaar genomen, dan heilzaam of rampzalig zijn?

Ik wil niet verder uitweiden over deze discussie; het is al te gemakkelijk om achteraf de voorspellingen van deze of gene te beoordelen en aldus mijn goed- of afkeuring uit te spreken. In deze zaak was er geen enkele onfeilbare profeet, maar sommige waren minder blind dan andere. Clarence bijvoorbeeld. Het lijkt me echter bepaald niet overbodig om in drie of vier alinea's terug te komen op een toen gangbare mening die nog gedurende enige tijd de boventoon zou voeren. Niemand wist deze mening duidelijker onder woorden te brengen dan Paul Pradent in een artikel dat slechts enkele dagen na dat van Clarence werd gepubliceerd onder de titel 'Een nieuwe bevolking voor een nieuw millennium'. Daarin hernam hij bepaalde ideeën die hij tijdens zijn onderhoud met haar ter sprake had gebracht en werkte ze verder uit.

'Het is niet de eerste keer', zei hij, 'dat men op absurde toekomstbeelden uitkomt op grond van een paar cijfers en een ontwikkeling waarvan, lachwekkend genoeg, het hele verloop al wordt geschetst, terwijl de eerste tekenen ervan nog maar nauwelijks zichtbaar zijn. Hoe vaak heeft men ons niet het einde van de wereld aangekondigd? Toch is de aarde geen noot die zich gemakkelijk laat kraken.'

Vervolgens, na een korte uitweiding en een duidelijke verwijzing naar mijn partner: 'Er wordt ons verteld dat er recentelijk bepaalde middelen zijn ontwikkeld die de groei van de wereldbevolking zouden kunnen afremmen. Waarom zouden we dat niet als een normale en welkome fase in de wereldgeschiedenis beschouwen in plaats van irreële curves te trekken en te roepen dat de wereld met ontvolking wordt bedreigd?

Vele duizenden jaren lang is de wereldbevolking namelijk slechts langzaam en onregelmatig toegenomen; het geboortecijfer was weliswaar behoorlijk hoog, maar dat gold evenzeer voor het sterftecijfer; kindersterfte, epidemieën, oorlogen en hongersnoden hielden een al te sterke bevolkingsaanwas tegen. Vervolgens zijn we een tweede fase ingegaan waarin het sterftecijfer is gedaald dankzij de vooruitgang van de geneeskunde en de landbouwtechnieken; het geboortecijfer, dat zich nog steeds in een opgaande lijn bevond, is echter hoog gebleven. Toch kon dat niet eindeloos voortduren. Logischerwijs moest het geboortecijfer wel dalen en moest de wereldbevolking weer een gecontroleerd en stabiel evenwicht hervinden. Dat is al enige tientallen jaren het geval in de ontwikkelde landen, die daardoor vrede en voorspoed kennen. Is het niet wenselijk dat dat overal zo zou zijn? Is het niet veeleer de huidige situatie die abnormaal is, namelijk dat in de landen waar men zijn kroost kan voeden, kleden en verzorgen, er steeds minder kinderen geboren worden, terwijl er in de landen die daartoe niet in staat zijn steeds meer kinderen komen?

Als het bevolkingsoverschot in de arme landen door een of ander wonder zou worden teruggedrongen, zouden we in één generatie tijd geweld, hongersnood en gebrek aan ontwikkeling zien verdwijnen. De mensheid zou dan eindelijk rijp zijn om het nieuwe millennium in te gaan.'

En Pradent besloot met de volgende uitspraak die, als je erover nadenkt, op zijn minst komisch is: 'We moeten de natuur op haar beloop laten!'

Ondanks deze flater in de laatste regel – de 'stof' had toch niets met de natuur te maken? – was het moeilijk om zijn betoog te weerleggen en ik kan begrijpen dat mensen zich erdoor lieten misleiden. Ikzelf had mijn schouders opgehaald toen ik het uitgelezen had. De logica van Pradent was duidelijk. Maar ik ben een gecompliceerd dier. Hoe simpeler een redenering, hoe groter mijn wantrouwen. Ik weet nog altijd niet hoe dat komt, maar iets in mijn ontwikkeling zorgt er altijd voor dat ik de vlo al op de rug van de olifant heb gezien voordat ik de olifant zelf in de gaten heb; iets in mijn instinct maakt dat ik me distantieer van ideeën die zogenaamd door iedereen worden gesteund.

Bovendien stond ik, en dat al sinds jaar en dag, onder de invloed van André Vallauris. Wanneer we samen in zijn zitkamer de wereld opnieuw in beschouwing namen, spoorde hij me altijd aan om de ideeën om mij heen van me af te zetten, 'zoals je de schil van de vrucht verwijdert, voorzichtig om de vrucht niet te beschadigen, maar zonder enige consideratie met de schil zelf'.

K

In andere tijden met andere zeden zou men hebben gelachen om een echtpaar waarvan de vader opgaat in het kind en de moeder in haar succesvolle carrière. Maar zo was het nu eenmaal bij ons en we waren er gelukkig mee; waarom zou ik daardoor minder man zijn en zij minder vrouw?

Toch was mijn geluk tastbaarder dan dat van Clarence. Sinds februari bracht ik Béatrice elke ochtend, op weg naar het museum, bij de oppas die ik voor haar had gevonden, een buurvrouw die weduwe was en een aantal kleinkinderen had. Ze woonde op de bel-etage en zodra ik de eerste trede van de stoep opliep, sloeg mijn dochtertje haar armen om mijn hals als een bruine slinger waarvan het gewicht en de geuren me de hele dag bijbleven.

Clarence oefende het moederschap vakkundig uit, met zoveel genegenheid als nodig was, maar zonder extra uitingen van aanhankelijkheid. Het stond vast dat het kind een geschenk uit liefde was van haar aan mij; ze had het me beloofd, ze had het me geschonken, met haar hele lichaam en veel eerder dan ik had gehoopt. Nooit heb ik me beklaagd, nooit heb ik geprobeerd om haar te lang bij de wieg te houden. Haar weg lag elders en zij week daar niet van af.

Sinds de publicatie van haar onderzoek waren er weinig journalisten die meer waardering oogstten, meer in trek waren of beter betaald werden. Zij die had gedroomd van grote reportages, kreeg er meer aangeboden dan ze ooit zou hebben kunnen maken. Ze maakte een selectie, sloeg vaak een aanbod af omdat ze alleen tot in de puntjes verzorgd werk wilde afleveren, en ook, zoals ze zelf zei, 'om exclusief te blijven'. Ik was het eens met deze kokette maar verstandige houding, evenals met haar beslissing om 'vrijbuiter' te blijven en losse opdrachten aan te nemen van nu eens die en dan weer die krant, waaronder, zonder rancune, de krant waar ze was begonnen.

Eigenlijk was ik de enige met wie ze een duurzame verbintenis was aangegaan. Duurzaam, zonder crisismomenten, zonder strubbelingen en zonder enige huwelijksverplichting. We hadden er maar één keer over gesproken, toen we elkaar net hadden leren kennen. Ik had haar gezegd dat ik een nostalgisch type was en met weemoed terugdacht aan de tijd waarin de belangrijkste verbintenis van het leven nog met een handdruk werd bezegeld en een leven lang in stand bleef, lang nadat de papieren akte was vergeeld. Bij Clarence en mij werd het een enigszins bijzondere handdruk, intenser, meer omvattend, langdurig; maar in mijn gedachten was het eerst en vooral een handdruk. We zouden bij elkaar blijven zolang als onze liefde zou duren; en met talloze adolescente listen zouden we die laten voortduren.

Zo leefden we, niet als echtgenoten, niet als gezinnetje, niet als samenwonend stel... Wat een afschuwelijke woorden! We leefden als minnaar en minnares, dolgelukkig met het leven, ware het niet dat de tijd in onze lichamen voortschreed en ware het ook niet dat de wereld om ons heen ten prooi viel aan onlusten.

Anderen dan Clarence zouden hebben gedacht dat ze 'binnen' waren. Dat vond ze een beledigend woord. 'Dat moest alleen gebruikt worden voor treinen en vliegtuigen. Als mij wordt verteld dat iemand binnen is, ben ik geneigd te vragen waar, hoe en met welk doel hij binnen is gekomen!' Was dat bescheidenheid? Ik zou eerder zeggen een mengeling van bescheidenheid en trots, ook wel 'fatsoen' genoemd. Want ze voegde eraan toe: 'Alleen diegenen die van zichzelf weten dat ze niet in staat zijn om verder te gaan, slaan zichzelf op de borst en zeggen dat ze "binnen" zijn.'

Clarence was het aan zichzelf verplicht om de zaak waarmee ze naam had gemaakt en waarmee haar talent aan het licht was gekomen, op de voet te volgen; dat was voortaan de zaak waarvoor ze streed, haar levenswerk; bovendien namen de gebeurtenissen een wending die haar verontrustte. In het artikel waarin ze verslag deed van haar onderzoek naar de 'stof' had ze weliswaar een neutrale toon aangeslagen om geloofwaardig te blijven, maar haar opzet was duidelijk: ze wilde de niets en niemand ontziende hebzucht van een paar tovenaarsleerlingen aan de kaak stellen. Deze reusachtige manipulatie van mensen, deze manier om het slechtste in hen naar boven te halen en hen naar een zogenaamd betere toekomst te leiden, via een sluipweg in de vorm van een systematische discriminatie, dat beschouwde ze als een onaanvaardbare en misdadige, uit de hand gelopen ontwikkeling. Ze verwachtte dat het onthullen van de feiten voldoende zou zijn om de hele wereld door een gezonde woede-uitbarsting wakker te schudden.

Niets van dat al. Ik heb uitvoerig geciteerd uit het artikel van Pradent omdat ik het heb bewaard en omdat het de verdienste had een duidelijk verhaal te zijn; ik moet hieraan toevoegen dat vele andere belangrijke personen uit verschillende hoeken dezelfde mening waren toegedaan.

Het duurde een tijdje voordat Clarence en ik beseften hoe reëel, diepgaand en soms heftig de aantrekkingskracht is die ideeën zoals die van Pradent op de grote massa kunnen uitoefenen. We hadden de gewoonte gekregen om de oorzaak van onze grootste zorgen in de zuidelijke landen te zoeken; als er een eenvoudige oplossing kon worden gevonden voor zowel hun problemen als de onze, dan zou het toch waanzin zijn om die kans niet te benutten.

Men kan niet achteraf over deze dingen oordelen, maar moet zich enigszins in de geest van de tijd verplaatsen. Ik wil niet blijven stilstaan bij de euforie van de laatste jaren van de vorige eeuw, maar ik zou toch met nadruk erop willen wijzen dat het herstel van de betrekkingen tussen de twee vleugels van de ontwikkelde wereld, deze toenadering tot gelijke waarden en instellingen, tot eenzelfde taal en eenzelfde levenswijze, op meedogenloze wijze aan het licht had gebracht hoe duizelingwekkend diep de kloof was die de wereld verdeelde, hoe breed de 'horizontale breuklijn' die zoveel onrust teweegbracht. Aan de ene kant alle rijkdom, alle vrijheden, alle hoop. Aan de andere kant een labyrint van doodlopende wegen: stagnatie, geweld, rellen en uitbarstingen van razernij, een snel om zich heen grijpende chaos, en een massale vlucht naar het noordelijke paradijs dat heil en zegen moest brengen.

Aan beide kanten van de 'breuk' nam het ongeduld duidelijk merkbaar toe. Ook op dat punt was het Vallauris die me deze realiteit onder ogen deed zien. Ik herinner me niet precies waardoor dit onderwerp ter sprake was gekomen, noch wat ik kan hebben gezegd, maar ik meen dat het ging om godsdienstfanatisme.

André had me gezegd: 'Net als jij ben ook ik wel eens ongeduldig, dan ontplof ik, ga tekeer en geef me over aan mijn razernij. Maar onmiddellijk daarna breng ik mezelf tot rede door te zeggen dat we de wereld moeten dulden zoals zij ons heeft geduld.

Het Westen is niet altijd zo geweest als jij het hebt gekend, deze oase van vrede en rechtvaardigheid waarin rekening wordt gehouden met het recht van de man, de vrouw en de natuur. Ik, die een generatie ouder ben dan jij, ik heb een heel andere westerse wereld meegemaakt. Je moet jezelf goed inprenten dat we eeuwenlang de aarde hebben doorkruist, imperia hebben gebouwd, beschavingen hebben verwoest, de indianen in Amerika hebben afgeslacht en vervolgens in hun plaats negers aan het werk hebben gezet die we met scheepsladingen tegelijk hebben aangevoerd, oorlog hebben gevoerd met de Chinezen om hen te dwingen opium te kopen, ja, we zijn als een tornado over de wereld geraasd, een tornado die vaak heilzaam is geweest, maar altijd een spoor van verwoesting heeft achtergelaten.

En wat hebben we hier thuis gedaan? We hebben elkaar op grote schaal gekeeld, geplunderd en vergast, in een golf van razernij die tot halverwege de twintigste eeuw heeft voortgeduurd. En toen, op een dag, hadden we er onze buik van vol, kwamen we tot inkeer, en vermoeid en een beetje bezadigd zijn we neergezakt in de lekkerste leunstoel om in het wilde weg te brullen: "En nu houdt iedereen zich koest!" Maar zo werkt dat niet, snap je, de hele wereld houdt zich niet onmiddellijk koest op het moment dat wij dat doen. Overal zijn wel grensstreken als Elzas-Lotharingen, twisten tussen papen en geuzen, die net zo absurd zijn als onze conflicten en net zo moorddadig; waanzin is iets wat over moet gaan.

We moeten geduld hebben met de wereld!'

Maar dat was André... Geduld werd een zeldzame zaak en daar waren beide partijen schuldig aan; aan beide kanten van de 'breuklijn' verstomden de verstandigste stemmen. Alleen mensen die in een andere tijd waren geboren, zoals Vallauris en Liev, konden weerstand bieden aan de aantrekkingskracht van een wonderoplossing.

De publieke opinie was duidelijk aan het omslaan en dat met haar volle gewicht. Nog maar kort tevoren vervolgd en tot zwijgen gebracht, waren de uitvinders van de 'stof' nu op weg om als weldoeners van de hele mensheid voor het voetlicht te treden. Ze hebben zich daar niet in vergist, want op een dag die iedereen zich nog zal herinneren, zijn ze uit hun schuilplaats gekomen, net als de verzetsstrijders daags na de bevrijding. Allereerst was dat dokter Foulbot die in exclusieve interviews, waarin hij erop los kletste, de 'uitvinding van de eeuw' – in zekere zin was het dat ook – opeiste en zichzelf bestempelde als 'redder' die lange tijd onbegrepen was geweest zoals alle redders, vervolgd door duistere en primitieve machten en tot verbanning gedwongen.

Ik zie hem nog voor me zoals hij op de televisie verscheen: met zijn blik gebarricadeerd door dikke, zwarte brillenglazen, pareerde hij het spervuur van vragen. Waarom had hij geen stof ontwikkeld waarmee de geboorte van meisjes kon worden gestimuleerd? 'Ik was al met het onderzoek begonnen, maar toen werd de subsidie ingetrokken!' Was het waar dat hij met de verkoop van zijn product een fortuin had verdiend? 'Het geld dat ik heb verdiend, wordt alleen gebruikt om mijn onderzoeksprojecten te financieren. Ik ben voor alles een wetenschapper.' Maakte hij zich geen zorgen om de discriminerende praktijken waartoe zijn uitvinding had geleid? 'Ieder geneesmiddel heeft de eigenschap heilzaam te zijn als het weldoordacht wordt gebruikt, maar is gevaarlijk in het tegenovergestelde geval. Een uitvinder mag ervan uitgaan dat de mensheid volwassen is; anders zouden er heel wat uitvindingen teniet moeten worden gedaan! Maar de wetenschap kan niet worden teruggedraaid, de mensheid zal zich nooit kunnen ontdoen van haar kennis en haar macht. Zo is het en niet anders, degenen die met heimwee aan vroeger terugdenken zullen zich daarbij moeten neerleggen!'

Een ernstig teken des tijds was dat je in verschillende noordelijke landen in de apotheken langzaam maar zeker geneesmiddelen zag opduiken die de 'stof' bevatten en die nu niet meer het etiket van een of ander nietszeggend bedrijfje droegen, maar dat van belangrijke farmaceutische ondernemingen die niet wisten hoe gauw ze een markt met zulke goede vooruitzichten moesten veroveren voordat anderen dat zouden doen. Om de wet die discriminatie op grond van geslacht verbiedt te omzeilen, presenteerden ze deze producten als geneesmiddelen tegen onvruchtbaarheid bij mannen. Op voorwaarde dat ze alleen op medisch voorschrift zouden worden verkocht, gaf de Food and Drug Administration dan ook toestemming voor de distributie ervan in de Verenigde Staten, daarin weldra gevolgd door het merendeel van de vergelijkbare instellingen in andere landen.

Zoals men had kunnen verwachten, was er geen gebrek aan geleerde pennen om uit te leggen dat de medicijnen die in de noordelijke landen werden verkocht volstrekt niet te vergelijken waren met de 'bonen van de scarabee' of soortgelijke producten. Ik waag me liever niet aan een al te technische discussie; de biologie van de mens is niet mijn domein, farmacologie nog minder; bovendien is alles wat ik nu zou kunnen vertellen al helder in diverse naslagwerken uiteengezet. Zelf gaat het me alleen om de ingrijpende veranderingen die daarna zouden plaatsvinden, zoals ik die heb ervaren, en om alles wat een beter inzicht kan geven in hun ontstaansgeschiedenis. Als ik heb stilgestaan bij wat in de eerste levensjaren van Béatrice werd gezegd, is dat om uit te leggen dat de 'stof' vanaf dat moment werd aanvaard als iets gewoons, voor sommigen een godsgeschenk, door anderen betreurd, maar er is zoveel betreurenswaardigs in het dagelijks bestaan waarmee men toch leert leven, nietwaar? De discussie was gesloten, behalve voor een handjevol stijfhoofden, en zelfs Clarence zou haar publiek hebben verveeld en haar krediet hebben verspeeld als ze onophoudelijk was teruggekomen op een 'achterhaald' onderwerp.

Dat is in ieder geval wat ze mij in een bijzonder neerslachtige bui heeft verteld: 'Je moet je de publieke opinie voorstellen als een zwaarlijvig persoon die niets anders doet dan slapen. Van tijd tot tijd schrikt hij wakker en daar moet je van profiteren om hem een idee in te fluisteren, maar je moet het zo eenvoudig en zo beknopt mogelijk houden, want voor je het weet rekt hij zich alweer uit, draait zich om, gaapt en valt opnieuw in slaap, en je kunt hem op geen enkele manier tegenhouden of wakker maken.

Het enige wat je dan kunt doen is wraakzuchtig zitten wachten totdat zijn bed in elkaar zakt.'

L

Zeggen dat het bed van de mensheid in elkaar zakte, is zwak uitgedrukt.

Er was eerst sprake van een paar lichte schokken in de verte, onmerkbaar of zo goed als onmerkbaar. Ik was getuige van één ervan, door toedoen van Clarence, maar het zij haar vergeven.

Het kwam niet zelden voor dat mijn partner zich na terugkomst van een of andere streek met een zangerige naam voornam om er de volgende vakantie naar terug te gaan, maar dan samen met mij en zonder allerlei reportages aan haar hoofd, om in alle rust te kunnen genieten van de idyllische geneugten waarvan ze zojuist een voorproefje had gehad. Gewoonlijk werden dergelijke enthousiaste ideeën vrij snel verdrongen door andere enthousiaste ideeën en werd zo'n droom door een andere overschaduwd om te verdwijnen op de steeds groter wordende stapel van bonte herinneringen aan Chittagong, Battambang, Mandalay, Djenné en Gonaïves, allemaal even verleidelijk.

Deze keer bleek ze echter minder vergeetachtig. Het ging om Naiputo, waar ze naartoe was gegaan om een 'wereldconferentie' bij te wonen zoals die in die tijd zeer in trek waren, met tweehonderd delegaties, elk met hun vaandel, hun folklore, hun terughoudendheid, hun redevoering en de naïeve hoop dat er naar hen zou worden geluisterd; ze waren met duizenden diplomaten, deskundigen en journalisten... Dit om aan te geven dat Clarence, die te laat was gearriveerd, de grootste moeite had gehad om in de buurt van de congresgangers een onderkomen te vinden en dat ze zich uiteindelijk een flink eind buiten het centrum had moeten laten brengen naar een villa die nog in koloniale stijl was gebouwd, Uhuru Mansion, een wit, laag gebouw met vleugels en in het verlengde daarvan een rij knusse hutjes, een eindje boven de grond gebouwd en met uitzicht op een sponzig grasveld dat bezaaid was met wilde roze bloemetjes.

Elke ochtend keek Clarence vanuit het raampje van haar badkamer naar het komen en gaan van de bedienden die naar een oneindig lange tafel in de buitenlucht schalen droegen met stukken papaja, sappige mango's, roereieren, Quaker Oats en vele dampende koffiekannen. Om halfnegen werden de gasten met een schuchter belletje gewaarschuwd dat ze mochten komen; dan gingen de deuren van de hutjes allemaal tegelijk open en kwamen de mensen blootsvoets naar buiten, met haastige, hongerige stappen. Maar om halfnegen stond de taxi van Clarence al te wachten, met een gebarende chauffeur: door alle opstoppingen zou ze nooit op tijd op de bijeenkomst komen! Ze durfde maar ternauwernood in het voorbijrennen een toast en een nog onrijpe banaan mee te pikken...

'Ik was neergestreken op een pad in de Hof van Eden, maar dan voor een banale, zakelijke tussenlanding.' Ze was zo gefrustreerd dat ze zichzelf nog voor haar vertrek had gedwongen om een reservering voor de laatste week van het jaar te maken en erop had gestaan een aanbetaling te doen, alleen maar bij wijze van financiële stok achter de deur, mocht ze later van gedachten willen veranderen.

Ik vond het een prachtig plan, zij het dat mijn hart ineenkromp bij de gedachte Béatrice tijdens de feestdagen alleen te moeten laten. Als het aan mij had gelegen, had ik haar graag meegenomen op reis, maar ik weet dat ik niet erg verstandig ben zodra het om haar gaat. Clarence zou alleen maar hebben gelachen. In haar vocabulaire kwamen twee begrippen voor: 'jullie tweeën', dat wil zeggen mijn dochter en ik, en 'wij tweeën', dat wil zeggen man en vrouw; er was gewoonweg geen enkele reden waarom wij een indringster op sleeptouw zouden nemen.

Donker Afrika met zijn schreeuwende kleuren was voor mij slechts een flits in mijn leven, een van die beelden waarvan je denkt dat ze voorbijschieten en in de vergetelheid raken, maar die weer bovenkomen op sombere momenten en dan verwachtingsvolle, vrolijke klanken verspreiden.

Wat heb ik ervan gezien? Weinig, uitbundige koopvrouwen aan de voet van bedremmelde wolkenkrabbers, horden kinderen die bezit nemen van de straten, muurtjes, masten en braakliggende terreinen, en de ogen van vrouwen die glimlachen, knipogen en dan weglopen met de slepende gang van hen die zich niet door de tijd laten opjagen.

Is het niet de paradox van onze beschaving dat zij door zich van de ruimte meester te maken, slaaf van de tijd is geworden? In Afrika voel je je wat dat betreft minder meester, maar ook minder slaaf. Als je er maar in slaagt om aan jezelf te ontsnappen. Ik heb het geprobeerd. Uhuru Mansion was niet donker Afrika en zelfs niet het echte Naiputo, we waren slechts een handjevol blanken en zwarten die samen de vruchten van een vrijgevige aarde deelden; maar het was het venster naar buiten dat mijn honkvaste ziel nodig had.

Wat Clarence me niet had verteld, een vergeeflijk journalistenvergrijp, was dat ze er niet alleen naartoe was gegaan voor de rust, het grasveld en de met citroensap besprenkelde papaja's. Ze moest ook nog 'heel even iets natrekken', bekende ze me toen we de derde dag met een gehuurde auto op stap waren, ik rechts aan het stuur zoals in Engeland, zij met de kaarten en gidsen in de hand. Of we geen zin hadden om naar de evenaar te gaan, al was het alleen maar om met onze voet de paal aan te raken die de plek aangaf? Het was twee uur rijden van Naiputo; op weg daarheen zouden we dan een omweg kunnen maken, heus niet ver, om langs de rivier de Nataval te rijden.

Degenen die de geschiedenis van de beginjaren van de nieuwe eeuw hebben gelezen, zullen mij wel hebben begrepen: men zegt dat aan de oevers van de Nataval de eerste gewelddadigheden tot uitbarsting kwamen die verband hielden met de zaak die ons bezighoudt. Dorpelingen beschuldigden de autoriteiten ervan 'Indische bonen' – zo werden ze in Oost-Afrika genoemd – te hebben uitgedeeld op het grondgebied van bepaalde volksstammen met de bedoeling hun voortplantingsvermogen te beperken en hen op de lange duur uit te roeien. Er werd een polikliniek geplunderd, er vielen een stuk of dertig gewonden, onder wie vier Europese toeristen die op doorreis waren, en door dit ongelukkige voorval kreeg de wereld lucht van deze incidenten, die al met al niet erg belangwekkend waren.

Clarence wilde graag met eigen ogen de geplunderde polikliniek zien en met de dorpelingen praten. Binnen twee minuten was onze auto omringd door een scheldende menigte; het was geen agressiviteit jegens ons, maar gewoon een concert van protestkreten, deels in het Engels, deels in het Swahili. Twee agenten die vreesden dat onze aanwezigheid voor nieuwe onlusten zou zorgen, kwamen ons verzoeken te vertrekken. Ik liet me dat geen twee keer zeggen; dit incident paste slecht in het beeld dat ik van de vakantie had. Ik vermeed echter om mijn partner te kapittelen. Ze behoorde tot die mensen die zich schuldig en nutteloos voelen zodra ze niet meer werken; nu ze zich onder het volk had begeven, had ze de rest van de reis geen last meer van haar geweten.

Het verschafte haar tevens getuigenissen die haar nog van pas zouden komen. Want weldra zouden ook elders rellen uitbreken, in Sri Lanka, Burundi en Zuid-Afrika, die door soortgelijke beschuldigingen werden ontketend. Voorzover ik weet, heeft men nooit kunnen vaststellen dat de methoden voor selectieve geboorteregeling in die tijd met opzet zijn gebruikt als discriminatiemiddel tegen groepen van een bepaald ras of geloof. Maar dit herhaalde zich aan één stuk door en de argwaan werd steeds groter.

Iedereen weet dat elk land te kampen heeft met situaties waarbij het van belang is het broze evenwicht tussen de betrokken partijen te bewaren. Het verbaast me geenszins dat een of andere regeringsleider het in zijn hoofd heeft gehaald om de 'bonen' te verspreiden onder etnische groepen die hem vanouds vijandig gezind zijn, terwijl hij de aanwas van zijn eigen bevolkingsgroep ongemoeid laat. Op een gegeven moment zullen deze feiten, waarvoor slechts een handjevol historici belangstelling heeft, heus wel door onderzoekers worden vastgesteld. Maar ze zijn minder belangrijk dan de reacties die ze veroorzaken, en in dit geval zou de wereld, jaar in jaar uit, getuige worden van een uitbarsting van beschuldigingen, verwijten en haatgevoelens.

Vooral op het platteland. Stadsbewoners kennen elkaar minder goed en houden elkaar minder in de gaten. Maar in een dorp waar men in de loop van een paar jaar constateert dat het aantal meisjes drastisch is teruggelopen, komen de ouderen, zowel mannen als vrouwen, in beroering. Zij zijn de allerlaatste behoeders van het overlevingsinstinct. Als ze merken dat hun gemeenschap bedreigd wordt, zeggen ze dat er een vloek op het dorp rust. Dan beginnen ze te morren, op te ruien en gaan op zoek naar de schuldigen: zijn dat de mannen die de 'dope' hebben geslikt? Zijn hun vrouwen medeplichtig? De polikliniek? De vijandige bevolkingsgroep? De autoriteiten? Of waarom niet het voormalige koloniale bewind, want daar komt die misdadige uitvinding toch vandaan?

Ik wil niet beweren dat Clarence en ik, toen we de oevers van de Nataval bezochten, ons bewust waren van de afgrond waar we naartoe werden geduwd door deze algemene argwaan, dit oerwoud van haatgevoelens waarin iedereen zichzelf als prooi beschouwde en alleen maar roofdieren om zich heen zag. De plundering van een dorpskliniek kon volgens geen enkel criterium worden beschouwd als een opvallende gebeurtenis. Overal in de wereld vonden waarschijnlijk duizenden soortgelijke incidenten plaats, waarbij noch het aantal groot genoeg was, noch de slachtoffers bekend genoeg waren om er ruchtbaarheid aan te geven. Alleen de betrokken regeringen maakten zich af en toe zorgen.

Slechts enkele functionarissen hadden het vrij snel door, stelden de 'stof', de uitvinders en de fabrikanten ervan aan de kaak, en waarschuwden de burgers van hun land tegen een dergelijke plaag. Maar ze bleven roependen in de woestijn. Het merendeel van de bewindslieden beperkte zich tot het verbieden van verdere publicaties van geboortecijfers uitgesplitst naar geslacht, ras, regio of religie. Zelfs globale bevolkingscijfers werden als vertrouwelijke gegevens beschouwd, en de statistieken die openbaar werden gemaakt, waren over het algemeen streng gecensureerd. De demografen rukten zich de haren uit het hoofd en spraken van een 'onvoorstelbare achteruitgang' in het statistisch onderzoek, van een sprong van honderd jaar terug in de tijd. Toch werd dat het gebruikelijke patroon, men raakte vrij snel gewend aan deze tabellen, waarin om de haverklap 'niet bekend', '*no data*', 'schatting' en andere blijken van onwetendheid stonden vermeld.

Overigens moet worden gezegd dat het een doeltreffende methode bleek te zijn. Er werd steeds minder gesproken over dorpsrellen. Nu weten we dat die heel vaak voorkwamen, dodelijke gevolgen hadden en niet altijd konden worden tegengehouden. Toch wekten ze in die jaren minder onrust dan de discussies die de noordelijke landen in beroering begonnen te brengen.

M

De dag na mijn terugkomst uit Afrika kreeg ik een briefje in een onbekend handschrift waarin stond dat André Vallauris net was overleden. Parijs was bedekt met een mantel van sneeuw. Mijn peetoom was voor een ommetje in zijn straat naar buiten gegaan. Hij was onwel geworden en in elkaar gezakt.

De begrafenis vond in besloten kring plaats. Clarence had erop gestaan met me mee te gaan; verder waren er Irène en Emmanuel Liev, drie collega's van Vallauris, en een tamelijk jonge vrouw die niemand van ons leek te kennen, maar die duidelijk de rol van weduwe vervulde. Zonder tranen of rouwsluier; haar manier om tegen de dood tekeer te gaan, was mooi zijn, de mooiste en de elegantste, om zo duidelijk te maken dat André tot het einde toe van het leven had gehouden en het leven van hem.

Gezien haar leeftijd, zo rond de veertig, moest ze nog een jong meisje zijn geweest toen mijn peetoom mij al de volgende raad gaf: 'Hou je aan de edelste vorm van losbandigheid: bedrijf de liefde alleen als er liefde in het spel is; en stoor je niet aan huwelijkse banden.' Het leed geen twijfel dat de 'weduwe' in zijn leven was gekomen na een reeks andere liefdes, maar ze had het trieste voorrecht zijn laatste liefde te zijn. Woonde ze bij hem? Had ze zich schuilgehouden in een kamertje achteraf op de zondagen dat ik bij hem op bezoek kwam? Of had ze zich voor het afgesproken uur uit de voeten gemaakt?

Hoe dan ook, het was haar hand die ik als eerste schudde aan het eind van de plechtigheid; alle anderen schaarden zich in een rij achter mij om hetzelfde te doen. Ze onderwierp zich aan dit onverwachte ritueel met een licht geamuseerd trekje om haar mond; misschien dacht ze aan de glimlach van André als hij dit tafereel zou zien.

Het meest aangedaan van ons allen was Emmanuel, die door zijn vrouw met heimelijke bezorgdheid werd gadegeslagen. Door het verdwijnen van 'het jochie' voelde hij de storingen van zijn hart en het kraken van zijn botten des te duidelijker.

Ik liep met hem mee in de richting van de auto's.

'Dat rotjoch van een Vallauris, in de sneeuw gaan lopen terwijl hij zo slecht tegen de kou kon!'

Hij was razend op hem. Ik gaf een stereotiep antwoord over het lot, de tijd, en de dingen die onvermijdelijk zijn.

Net toen ik afscheid had genomen van het echtpaar Liev, werd ik door de 'weduwe' ingehaald.

'Ik heb deze envelop op het bureau van André gevonden, hij was aan u geadresseerd.'

Ik liet Clarence rijden om de brief onderweg te kunnen lezen. Het was geen testament, maar door het overlijden van mijn vriend kreeg de brief wel iets plechtigs. Op de envelop stonden mijn naam en adres, en er was al een postzegel op geplakt. De brief luidde kortweg: 'Ik heb een plan waarover ik het bij onze volgende ontmoeting met je zou willen hebben; ik leg het nu vast aan je voor zodat je erover kan nadenken en het verder kan uitwerken. Misschien kunnen we het dan op redelijk korte termijn uitvoeren.

Het gaat om het volgende: ik geloof dat het geschikte moment is aangebroken om een groep samen te stellen die ik voorlopig als "Netwerk der wijzen" zou willen aanduiden, een netwerk dat zich over een groot aantal landen zou moeten uitstrekken en tot taak zou moeten hebben de publieke opinie en de autoriteiten her en der te waarschuwen voor de gevaren die de onverantwoordelijke manipulatie van het menselijk ras met zich meebrengt. Ik ben diep verontwaardigd over de wijze waarop het verschijnsel wordt gebagatelliseerd en over de onverschilligheid van mijn landgenoten, een onverschilligheid die des te onbegrijpelijker is omdat het gevaar zich niet tot het zuidelijk halfrond beperkt; het zou even irreëel als misdadig zijn om een toveroplossing aan te prijzen of te dulden die via de gruwelijke omweg van een langzaam voortschrijdende volkerenmoord onze problemen voor eens en voor al uit de wereld zou helpen.

Ik had aan Liev gedacht als voorzitter van dit "Netwerk" en aan jou en je partner om het secretariaat op te zetten en dus de administratie op efficiënte wijze te organiseren.

Ik heb hierover nog een paar andere ideeën, maar die zullen we wel bespreken wanneer je bij me op bezoek komt.'

Deze laatste zin riep de herinnering bij me op aan de ongeveer vijfenzeventig zondagen die ons 'gesprek' had geduurd. Hij had me een onvervangbare bagage aan kennis en levenswijsheid meegegeven, ik was het aan zijn nagedachtenis verplicht om het idee dat hem uit handen was geglipt, enthousiast op te pakken. Diezelfde avond nog belde ik Liev op zonder ook maar een moment aan zijn antwoord te twijfelen. Hij deelde de bezorgdheid van André en hechtte er net als ik veel waarde aan hem op deze manier eer te bewijzen.

Maar dacht hij niet dat de naam 'Netwerk der wijzen' ietwat hoogdravend was, een beetje lachwekkend?

'Helemaal niet', stoof hij op. 'Wijsheid is de vergeten deugd van deze tijd. Een wetenschapper die geen wijze is, is gevaarlijk, of in het beste geval nutteloos. En verder heeft het woord "netwerk" iets mysterieus, iets dubbelzinnigs, iets schalks wat de nieuwsgierigheid van de mensen zal prikkelen. Nee, André heeft zich niet vergist, het Netwerk der wijzen is een goed visitekaartje. Ik doe mee!'

Nadat Clarence met evenveel enthousiasme had gereageerd, besloten we in vier kranten met een internationaal lezerspubliek een kadertekst te laten plaatsen met de volgende boodschap: 'Wij, mannen en vrouwen uit de wereld van de wetenschap, de media, de cultuur en de politiek, willen voorkomen dat onze aarde het slachtoffer wordt van naar zelfmoord neigende experimenten die opnieuw een golf van haat zouden kunnen ontketenen en de vooruitgang een verkeerde wending zouden kunnen geven. Daarom doen wij een oproep om een "Netwerk der wijzen" op te richten dat zich zou moeten inspannen om:

- een einde te maken aan iedere vorm van manipulatie van het menselijk ras, met name manipulatie door middel van perverse uitvindingen die discriminatie op grond van geslacht, ras, bevolkingsgroep, religie of wat voor criterium dan ook tot gevolg hebben;
- met alle mogelijke middelen te ijveren voor een versnelde toenadering tussen de noordelijke en de zuidelijke landen van onze planeet;
- onophoudelijk de publieke opinie en de leidinggevende politici te waarschuwen tegen de toenemende haat en onverdraagzaamheid.'

Daarna volgde een lijst van 'beschermheren' die door Liev en Clarence waren gepolst, en een adres, het onze, Rue Geoffroy-Saint-Hilaire, waarheen handtekeningen en bijdragen in de kosten van de publicatie van de oproep konden worden gestuurd.

Er waren een stuk of dertig 'beschermheren' en ze stonden vermeld in alfabetische volgorde, met als enige uitzondering André Vallauris die, ondanks zijn achternaam met een V, bovenaan stond, met een discreet 'in memoriam' tussen haakjes erachter.

Toen ik een paar dagen later de gepubliceerde tekst bekeek, netjes omgeven door een arceerlijn waardoor hij goed opviel, was ik er trots op mijn vriend dit postume geschenk te hebben gegeven, maar tegelijkertijd verlegen bij het zien van mijn naam en adres die op deze wijze in miljoenvoud waren afgedrukt. Wat een teleurstelling als ik maar een handjevol steunbetuigingen ontving! En wat een taak als ik er tienduizend kreeg! Wanneer moest ik ze lezen? Hoe kon ik iedereen antwoorden?

Ik zou niet graag de indruk willen wekken dat ik me door deze onbeduidende gedachten liet ontmoedigen en daardoor de essentie vergat, de inhoud, de strijd van Vallauris, Liev en Clarence, naast wie ik me nu in de voorste gelederen bevond. Maar het is een feit dat ik het strijdperk heb betreden met – om het zo te zeggen – een uitzonderlijke vrees die ik nooit meer zou kwijtraken. Ik vind het belangrijk om dat hier en nu te benadrukken, opdat niemand mijn latere handelwijze verkeerd zal uitleggen.

In de weken na de publicatie van onze oproep belde Liev me elke ochtend op. Hij begon onveranderlijk met te zeggen dat het hem 'speet' dat hij me onder de douche vandaan belde of tijdens het ontbijt stoorde; vervolgens vroeg hij me honderduit over de post van die dag. Ik telde voor hem het aantal brieven, gemiddeld een stuk of twintig, voor mij een ideaal aantal omdat het duidde op een aanhoudende belangstelling, zonder dat ik eronder bedolven werd.

Emmanuel, die ik voor de grap met 'voorzitter' aansprak, stond te trappelen aan de andere kant van de lijn terwijl ik de brieven zo snel mogelijk openmaakte. Eentje was van mijn collega Favre-Ponti, die zich blijkbaar met mij had verzoend; andere kwamen van een lid van de Académie Française, van een ex-minister, van een rabbijn en van een bioloog; de meest onverwachte brief was ondertekend door een advocaat uit Chicago die Vallauris heel goed had gekend en die zelfs drie jaar met zijn advocatenkantoor had samengewerkt. Hij heette Don Gershwin, van het kantoor Gershwin & Gershwin, Attorneys-at-law.

Het eerste deel van zijn brief was gewijd aan onze gemeenschappelijke vriend van wiens overlijden hij net had gehoord. Hij haalde onder andere de herinnering op aan de eerste keer dat hij bij André op kantoor kwam en door hem werd verwelkomd met de opmerking: 'Ik heb altijd vertrouwen in iemand van Angelsaksische afkomst die verliefd is op Parijs, ook al is hij advocaat.'

Het ging echter om het tweede deel van zijn brief. Gershwin juichte het initiatief van het Netwerk der wijzen zonder aarzelen toe en verzocht mij hem zo snel mogelijk alle documentatie toe te sturen die ik bezat over de 'stof' en de medische, sociale en andere gevolgen ervan, 'dit in verband met een proces dat wel eens exemplarisch zou kunnen zijn'.

André had mij er meer dan eens op gewezen dat ideologische discussies in Frankrijk de neiging hadden om eindeloos in de sfeer van morele en politieke opvattingen te blijven ronddraaien, terwijl ze in Amerika begonnen en eindigden voor de rechter, hetgeen hem als jurist meer aansprak.

In dit geval geloof ik beslist dat het Netwerk der wijzen lange tijd een eerbiedwaardige brievenbus zou zijn gebleven, als dat 'exemplarische proces' in Chicago niet had plaatsgevonden, gevolgd – dat moet worden gezegd – door de maar al te beroemde 'Vitsiya-affaire'.

N

Tegenwoordig zegt de naam Don Gershwin een heleboel mensen niets meer; alleen die van Amy Random is in hun geheugen blijven hangen. Dit was de jonge vrouw van een boer uit Illinois die als eerste kind een zoon had willen hebben om haar man een plezier te doen. Ze had bij haar apotheker van die 'capsules' gehaald waarvan ze de inhoud had gestrooid over het schuim van de glazen bier die ze haar man Harry inschonk; een dwaas maar onschuldig idee, want haar enige verlangen was dat Harry haar hartstochtelijk in zijn armen zou nemen en dat ze vervolgens trots zijn zoon zou dragen. Dankzij deze capsules had het echtpaar een bloeiend seksueel leven gehad en in de winter daarna was Harry junior geboren, een jaar later gevolgd door een tweeling, Ted en Fred. De vader kon zijn geluk niet op, maar nu wilde hij wel graag een dochter hebben.

Met dezelfde vooruitziende blik ging Amy weer naar haar apotheker om hem om een geschikte behandeling te vragen. Deze moest haar tot zijn spijt zeggen dat het 'omgekeerde' middel helaas nog niet bestond. Ze moest het dus aan het toeval overlaten? Helaas, antwoordde de apotheker opnieuw, door de viriliteit die haar man nu had gekregen – dit waren zijn eigen woorden – zouden ze nog heel wat jaren moeten wachten voordat ze enige kans zouden hebben om een dochtertje te krijgen.

In de wetenschappelijke wereld vermoedde men natuurlijk wel dat de 'stof' een zo goed als onherstelbare werking had, vooral wanneer die in grote hoeveelheden was toegediend, maar niemand had de moeite genomen om Amy en miljoenen andere gebruikers daarvan op de hoogte te stellen.

Ze was razend, wanhopig en werd door schuldgevoelens verteerd, maar durfde haar angst opzij te zetten om alles aan Harry te vertellen. Een paar dagen lang maakte hij haar uit voor heks en alles wat lelijk is, dreigde haar af te ranselen en van zijn erf te jagen, maar de man was geen bruut en Amy – een dikkerdje met rood haar, een neus vol sproeten en ogen die altijd verbaasd keken – wist hem ook dit keer weer te vertederen. Kort daarop begaven ze zich hand in hand naar hun advocaat. Aangezien deze meer ervaring had met geschillen tussen banken en boeren dan met medische conflicten, raadde hij hen aan zich te wenden tot het kantoor Gershwin & Gershwin in Chicago.

Het echtpaar was vastbesloten om de apotheker uit hun district te laten boeten, maar Don Gershwin wist hen ervan te overtuigen dat ze rechtstreeks de fabrikanten moesten aanklagen.

De Amy Random-zaak zou in zekere zin het proces van de 'stof' worden en een ommekeer in de houding van de publieke opinie en de autoriteiten teweegbrengen.

Het zou riskant zijn geweest om het aloude en vaak heftige conflict tussen Pro-Life en Pro-Choice weer op te rakelen; Don Gershwin wist dit risico te vermijden. Bedreven als hij was, slaagde hij erin om zowel de tegenstanders van abortus als de vurigste verdedigers van de rechten van de vrouw in zijn kamp te krijgen; hij vestigde de aandacht van de laatste groep op het feit dat het aan zijn cliënte verkochte product een verwerpelijk middel tot discriminatie was, aangezien het alleen jongens het recht gaf om geboren te worden. Hij werd eveneens gesteund door de kerken en door de wetenschappelijke en medische kringen, waar de methoden van dokter Foulbot en diens Amerikaanse kornuiten met wantrouwen en minachting werden bekeken.

Bovendien wist de advocaat de publieke opinie voor zich te winnen door aan te tonen dat de fabrikanten het vertrouwen van de consumenten hadden misbruikt door de nagenoeg onherstelbare aard van de 'stof' voor hen te verzwijgen; ik geloof dat tijdens het proces en de enorme discussie eromheen voor de eerste keer de vreemde term 'vrouwensterilisatie' werd gebruikt om de uitwerking van de 'stof' te kenschetsen, en zelfs kortweg het nog bondiger maar eigenlijk onjuiste woord 'sterilisatie'.

Bijna twee jaar lang was Amerika in de ban van de Amy Random-zaak, die ten slotte eindigde met de veroordeling van de verantwoordelijke fabrikant tot het betalen van twee miljoen dollar aan het benadeelde echtpaar. Dat was niet gigantisch veel vergeleken bij de schadevergoeding die in andere zogenaamde 'medische' geschillen werd toegekend, maar als men bedenkt dat er in hetzelfde jaar, om dezelfde reden en met evenveel kans op succes nog honderdduizenden soortgelijke processen zouden worden aangespannen, krijgt men wel een idee van de omvang van de ramp die zich voor de fabrikanten voltrok: iedereen die zich in deze handel had gestort, ging failliet; sommigen eindigden in de gevangenis; anderen gaven er de voorkeur aan de wijk te nemen naar een ander land.

Behalve juridische en financiële gevolgen zou de Random-zaak in vrijwel alle landen van het noordelijk halfrond het effect hebben van een heilzame openbaring. Tot het vijfde levensjaar van Béatrice – men moet het mij niet kwalijk nemen dat ik op die manier de gebeurtenissen rondom de geboorte van mijn dochter dateer; ik heb daar zo mijn redenen voor, die mijn welwillende lezers weldra zullen ontdekken; en bovendien, hoe het ook zij, Béatrice is ongeveer op de drempel van de nieuwe eeuw geboren, pietluttige historici hoeven slechts een kleinigheid recht te zetten –

zoals ik al zei, tot het jaar vijf na Béatrice hadden de noordelijke landen als toeschouwers gekeken hoe het kwaad zich verspreidde. Nu eens welwillend, dan weer wantrouwend en meestal onverschillig, dat waren de gebruikelijke reacties zodra het over 'daarginds' ging. En in ieders ogen was de 'stof' inderdaad 'iets van daarginds'. Of om het botweg te zeggen, zoals velen dat in die tijd deden, een zaak van de ontwikkelingslanden.

De noordelijke landen hadden immers hun bevolkingsproblemen opgelost, ze waren tot een gelijkmatige groei gekomen, er woonden niet te veel mensen en het was er niet te vol; bovendien bleek uit opiniepeilingen dat het echtparen niets kon schelen of ze een zoon of een dochter kregen. Er was dus geen enkele evenwichtsverstoring te vrezen. Men kon er naar hartelust over discussiëren, zoals over zoveel andere dingen, het zou allemaal op geestelijk niveau blijven, er kwam niets vleselijks aan te pas. Dit is niet of nauwelijks ironisch bedoeld. Ik probeer alleen maar weer te geven wat er in die tijd werd gedacht. Niet zozeer in mijn directe omgeving. Niet door Liev. Niet door Clarence. Maar door het gros van de mensen.

Het is waar dat de 'stof' in de geïndustrialiseerde landen lange tijd zo goed als onbekend was. Wanneer sommigen er al iets over hadden gehoord, hadden ze het over één kam geschoren met kwakzalversmiddelen. Door het rapport van de Verenigde Naties en de daaropvolgende discussie in het geboortejaar van Béatrice kreeg de methode van dokter Foulbot paradoxaal genoeg een zekere wetenschappelijke geloofwaardigheid. Als gevolg daarvan werd zijn werk beschouwd als het resultaat van langdurig laboratoriumonderzoek en zijn product als een doeltreffend middel!

Toen de geneesmiddelen die de 'stof' bevatten legaal te koop werden aangeboden in de apotheken van Parijs, Londen, Berlijn en Chicago, ging men niet in de rij staan om ze te bemachtigen. Toch raakten de voorraden langzaam op, werden weer aangevuld en raakten opnieuw op. Wie waren de afnemers? In Europa werden er onmiddellijk onderzoeken gepubliceerd om rond te bazuinen dat de kopers hoofdzakelijk Turken, Afrikanen en Noord-Afrikanen waren; en in Noord-Amerika de Spaanstalige bevolkingsgroepen. Het waren niet echt de noordelijke landen, zo stelde men elkaar gerust, maar alleen die mensen die zich daar hadden gevestigd en die zo'n 'tropische mentaliteit' met zich meebrachten.

Men weigerde lange tijd te aanvaarden dat deze groep kleurlingen iedere dag een beetje meer werd vermengd met mannen en vrouwen die wel oorspronkelijk uit het noorden kwamen. Maar dat waren natuurlijk alleen maar 'randfiguren', 'arme sloebers', mensen die 'aan lagerwal waren geraakt' en 'in geen enkele klasse thuishoorden', of om een zeer geleerd onderzoek uit die tijd aan te halen, 'de laatste aanhangers van archaïsche denkbeelden'; en toen het geval van Amy Random voor de eerste keer ter sprake werd gebracht, werd ze in sommige bladen zonder blikken of blozen afgeschilderd als een 'boerin die niet kan lezen of schrijven', 'een huisvrouw omringd door keukenapparaten die omwille van de publiciteit zelfs haar bezem zou inslikken'.

Ik zei 'in sommige bladen', maar als Clarence hier aan het woord was geweest, zou ze zich minder vriendelijk over haar collega's hebben uitgelaten. Ze had in die tijd het gevoel dat de gezamenlijke media niets anders deden dan op talloze verschillende manieren dezelfde misleidende boodschap doorgeven, namelijk dat de noordelijke landen niets te vrezen hadden, dat de invloed van de 'stof' er 'te verwaarlozen' was, 'van weinig betekenis', 'uiterst beperkt', 'gering', 'miniem', 'controleerbaar'... Mijn partner vermaakte zich een tijdje met het inventariseren van al deze uitdrukkingen die overduidelijk dezelfde boodschap hadden, maar toen ze er zo'n vierentwintig had geteld, vond ze het geen grappig spelletje meer.

'Soms denk je dat je met zoveel kranten, radio- en televisiezenders oneindig veel verschillende meningen te horen krijgt, maar dan ontdek je dat het precies andersom is: door de macht van deze spreekbuizen wordt de op dat moment overheersende mening steeds vaker uitgedragen zodat ieder ander geluid overstemd wordt.'

Ik haalde mijn schouders op.

'Jouw collega's geven alleen maar weer...'

'Precies! De media geven weer wat de mensen zeggen en de mensen geven weer wat de media zeggen. Krijgen ze dan nooit genoeg van dat stompzinnige na-apen?'

Zonder op te staan zette ze haar woorden kracht bij met het gebaar van een nijdige voetballer.

'Een flinke schop onder hun achterste, dat zouden ze moeten hebben!'

Nu moet ik wel zeggen dat haar verontwaardiging was gewekt door een van de meest 'geruststellende' opiniepeilingen, die net die dag was gepubliceerd. Uit dit onderzoek dat door een krant uit Frankfurt in vijf Duitse *Länder* was uitgevoerd, bleek dat op de honderd echtparen die kinderen wilden krijgen, er zestien liever een jongen wilden hebben, zestien liever een meisje, terwijl achtenzestig procent van hen geen voorkeur ten aanzien van het geslacht van hun kind hadden uitgesproken.

'Wat een prachtig evenwicht! Wat een nauwgezette symmetrie!' luidde het commentaar van Clarence in een artikel dat in die tijd opvallend veel opschudding veroorzaakte.

'Wat een welsprekend bewijs van de afnemende vrouwenhaat! Overigens komen deze resultaten overeen met hetgeen we al weten over de in Noord-Europa heersende mentaliteit ten aanzien van dit onderwerp.'

'Het probleem', vervolgde ze, 'is dat door het bestaan van die vervloekte "stof" alles in een kwaad licht komt te staan. Sinds die zich heeft verspreid, sinds die in iedere stad en in ieder dorp verkrijgbaar is, sinds eminente personen deze methode wettig en achtenswaardig noemen, hebben de statistieken absoluut niet meer dezelfde betekenis.

De berekening die je op grond van deze nieuwe gegevens kunt maken, is helaas zeer eenvoudig. Bij de achtenzestig echtparen die geen voorkeur hebben voor het geslacht van hun toekomstige kind, zouden er volgens de normale demografische kansberekeningen vijfendertig jongens op drieendertig meisjes geboren moeten worden; bij de zestien echtparen die een meisje wensen, zou zich een soortgelijke verdeling moeten voordoen, die in afgeronde getallen neerkomt op acht om acht; daarentegen zouden er bij de zestien echtparen die een zoon willen, heel goed zestien jongens kunnen worden geboren. Als we de optelsom maken, komen we op de volgende aantallen uit: op honderd pasgeboren baby's negenenvijftig jongens tegen eenenveertig meisjes!'

Mijn partner had geen enkel specifiek onderzoek verricht, ze had niets anders gedaan dan de cijfers bekijken met die blik die ik zo goed van haar kende, een mengeling van gezond verstand en een zesde zintuig. Haar prognose zou echter met een verrassende nauwkeurigheid waar blijken te zijn; men schat namelijk dat toen de verspreiding van de 'stof' haar hoogtepunt had bereikt, het geboortetekort in Duitsland een op de acht meisjes was, misschien zelfs een op de zeven. Aangezien het een land betrof waar men zich toch al grote zorgen maakte over de geringe vruchtbaarheid en zelfs over een geleidelijk krimpende autochtone bevolking, zou dit verschijnsel met de dag een groter trauma en zelfs een obsessie worden.

Het is eigenlijk overbodig te benadrukken dat Noord-Europa in de tijd dat de Duitse opiniepeiling gepubliceerd werd, tot de minst 'macho-achtige' delen van de aarde behoorde; de meisjes die er ter wereld kwamen, werden met evenveel blijdschap verwelkomd als de jongens. Toch richtte de plaag ook daar aanzienlijke schade aan.

Het is nu gemakkelijker te begrijpen wat voor verwarring zich meester maakte van de autoriteiten en de publieke opinie toen er geboortestatistieken over Zuid- en Oost-Europa werden gepubliceerd.

Ik wil liever niet doorhameren op deze cijfermatige herinneringen die men gemakkelijk in de handboeken kan terugvinden. Degenen die zich voor dit soort gegevens interesseren, raad ik aan om de brochure te lezen die in het jaar zeven door de autoriteiten van de Europese Gemeenschap te Brussel werd gepubliceerd onder de deels poëtische, deels apocalyptische maar doeltreffende titel '...en dan is de wereld ontvolkt'.

Gelukkig is de wereld niet ontvolkt, maar daar betalen we nog altijd een hoge prijs voor!

O

Om en nabij de achtste verjaardag van Béatrice besloot ik voor een poosje al mijn onderzoekswerk en mijn onderwijstaken te onderbreken aangezien het museum erin had toegestemd om mij voor onbepaalde tijd betaald verlof te geven. Dat was iets uitzonderlijks, maar op dat moment was iedereen zich ervan bewust dat de situatie waarin we verkeerden uitzonderlijk was. Het sleutelwoord was 'redding', en aangezien het Netwerk der wijzen de eerste onheilsprofeet was geweest, werd het een soort orakel waar men zijn toevlucht bij zocht.

Alvorens iets langer te blijven stilstaan bij de rol die ik ben gaan vervullen, moet ik wellicht voor degenen die deze periode niet hebben meegemaakt, een beter beeld schetsen van het toen heersende klimaat.

Ik heb het al even gehad over de discussies die in Europa en Amerika voor de nodige onrust zorgden, en slechts terloops gesproken over de eerste gewelddadigheden in de derde wereld. Ik moet hier een aantal zaken toevoegen die volgens mij onontbeerlijk zijn om wat hierna volgt te kunnen begrijpen.

Om te beginnen was het geruzie over de 'stof' en over het geheel van methoden voor 'selectieve geboorteregeling', 'discriminerende abortus' en 'sterilisatie' bezig uit te groeien tot een dagelijks, wereldwijd verschijnsel. Weliswaar zaten de uitvinders en de fabrikanten in de beklaagdenbank, maar die koppen, die men – overigens zeer terecht – liet rollen, waren niet meer afdoende. Op het noordelijk halfrond werden de autoriteiten beschuldigd van kortzichtigheid, onachtzaamheid en in zekere zin medeplichtigheid.

In de zuidelijke landen werden, zoals gezegd, de verschillende bevolkingsgroepen en gemeenschappen door de conflicten tegen elkaar opgezet; ook werd, vaak onterecht, de schuld gegeven aan de artsen en de politieke leiders; daarna begon men steeds meer het voormalige koloniale bestuur en nog eenvoudiger het Westen als schuldige, als oorsprong van het kwaad aan te wijzen. Daar was dat duivelse middel immers uitgevonden? Op die manier had het Westen toch geprobeerd hele bevolkingsgroepen te 'steriliseren', louter vanwege hun huidskleur, geloof of rijkdom? Een simplistische, absurde beschuldiging in de ogen van hen die de zaak van begin tot eind hebben gevolgd, maar de 'stof' was zo geniepig dat een bevolking nooit met zekerheid kon zeggen of zij onvruchtbaar was geworden door de kwaadwillende handelwijze van een vijand of door toedoen van haar eigen voorouderlijke tradities.

Was de uitvinding van Foulbot verdorven? Ik ben de eerste om dat te beamen. Maar niet minder verdorven was de mentaliteit die honderden miljoenen mannen en vrouwen ertoe bracht om hun toevlucht tot een dergelijke behandeling te nemen. Overigens kwam het door de combinatie van primitieve en moderne kwalijke denkbeelden dat de gebeurtenissen waarvan ik getuige was een dergelijke omvang hebben gekregen.

Weinig mensen beschreven de discussie toen in dergelijke bewoordingen, maar iedereen voelde hoe de spanning onverbiddelijk toenam. Het zou een langdradig verhaal worden als ik alle onlusten, moordpartijen, ontvoeringen, kapingen en plunderingen zou gaan opnoemen. Ik wil hier alleen maar zeggen dat iedereen van toen af aan doordrongen was van die wereldwijde realiteit, waarvan de contouren weliswaar onduidelijk waren maar dreigend genoeg, en dat velen bovendien een vermoeden hadden van de omvang van de ravage die de 'stof' reeds in verschillende gebieden had veroorzaakt, zelfs al werd het statistische bewijsmateriaal angstvalliger dan ooit geheimgehouden. Toen er in de noordelijke landen echter over 'redding' werd gesproken, ging het eerst en vooral om de redding van de noordelijke landen zelf.

Wanneer er twee gevaren bestaan, waarvan het ene immens groot maar ver weg en onduidelijk is, en het andere minder dodelijk maar dichtbij, is het toch menselijk dat men zijn aandacht eerst op het tweede gevaar richt?

Het is gemakkelijk om nu harde woorden en scherpe kritiek te uiten. Het is gemakkelijk om achteraf aan te tonen dat het Noorden zijn eigen welvaart en veiligheid in gevaar heeft gebracht door passief toe te kijken bij de voortschrijdende ondergang van het Zuiden, en dat het Zuiden door zich woedend tegen het Noorden te keren zijn eigen achteruitgang heeft veroorzaakt. Op dat moment wilde iedereen zo snel mogelijk en met zo min mogelijk inspanning aan de acuutste gevaren ontsnappen.

Anderen die meer jaren voor de boeg hebben, mogen daarover verder redetwisten. Wat mijzelf aangaat, ik heb altijd erkend dat deze problemen me te machtig waren; hooguit kon ik er de vinger op leggen dankzij de scherpzinnigheid die Vallauris me had bijgebracht, maar de pompeuze naam 'Netwerk der wijzen' moet geen valse hoop wekken. Door welk wonder hadden we de rampzalige ontwikkelingen kunnen voorkomen? Wat waren we anders dan een kwetsbaar groepje mensen die met weemoed droomden van een andere toekomst? Wat deden wij meer dan praten, schrijven en praten, als eentonige predikanten op een zondag waaraan geen einde komt? Toch moeten degenen die deze periode hebben meegemaakt, zich nog de indrukwekkende oude man herinneren die Emmanuel

Liev was, met zijn spitse neus, zijn oren die als de vleugels van een vleermuis van zijn hoofd stonden, en vooral zijn stem waarmee hij zich tot iedereen en tevens tot eenieder afzonderlijk richtte. Hij was een soort 'universele grootvader' geworden die troost bood, zelfs wanneer hij angst probeerde in te boezemen.

Het is moeilijk voor mij om een objectief oordeel te geven over zijn rol of die van het Netwerk; ik geloof graag dat deze niet onbelangrijk was. Het is wel zo dat er een samenloop van allerlei gebeurtenissen – processen, gewelddadigheden, alarmerende statistieken – voor nodig was geweest om eindelijk in Europa en op het hele noordelijke halfrond dat idee van een noodtoestand, dat begin van een schrikreactie te laten ontstaan. Maar ik zit niet ver bezijden de waarheid als ik stel dat het merendeel van de beslissingen die de toenmalige autoriteiten namen, door leden van onze groep waren ingegeven.

Ik heb Liev nog eens apart ter sprake gebracht om te benadrukken dat hij degene was die tot aan zijn dood onze voorman is geweest, onze mascotte. Maar we waren met een heleboel, eerst tientallen, later honderden mensen; te zeer verspreid over de hele wereld om elkaar allemaal te kennen, en te zeer gespitst op efficiency om chaotische algemene vergaderingen te houden. Nee, we hielden ons bij ons idee van een 'netwerk', we werden door een soort onzichtbare draad met elkaar verbonden, onuitgesproken idealen verenigden ons, en dat idee van een noodtoestand dat zich aan eenieder van ons opdrong, zorgde ervoor dat we op onze hoede bleven.

Zoals ik al zei, werden sommige van onze ideeën in overweging genomen en toegepast, andere gaven aanleiding tot meningsverschillen; weer andere zouden ondoeltreffend blijken te zijn, hoewel ze uit de beste bedoelingen waren voortgekomen. Al deze suggesties hadden hetzelfde doel: de bevolking aanzetten om meisjes te krijgen, genoeg meisjes om de geboortecijfers weer in evenwicht te brengen en om opnieuw de vruchtbaarheidspercentages van voor de crisis te bereiken. U moet weten dat het geboortetekort in de ergste crisisjaren voor heel Europa werd geschat op bijna een miljoen meisjes; dat is niets vergeleken bij datgene wat men al vermoedde voor bepaalde streken in het Zuiden, maar het was erg genoeg om de angst voor ontvolking te rechtvaardigen.

Voor alles ging het erom te voorkomen dat nog andere personen de 'stof' zouden gaan gebruiken; dat was het minst moeilijke probleem. Er kwam een verbod op de productie en verkoop van alle producten die 'de oorzaak waren van de discriminerende geboortecijfers' en hoewel er hier en daar wat vanonder de toonbank werd verkocht, was de verspreiding in het merendeel van de noordelijke landen vanaf dat moment zeer beperkt. Maar dat was niet meer toereikend. Gezien het indrukwekkende aantal reeds behandelde – of misschien zouden we moeten zeggen 'besmette' – mannen, zou het vrouwelijke geboortetekort nog een aantal jaren voortduren en het verstoorde evenwicht daarmee versterken. Er moest dus op verschillende wijzen een tegenovergestelde ontwikkeling op gang worden gebracht.

Op wetenschappelijk en technologisch gebied wilde men zo snel mogelijk een stof ontwikkelen waarmee de geboorte van meisjes kon worden gestimuleerd, in de wandeling de 'omgekeerde stof' genoemd; het onderzoek was al in een gevorderd stadium, er bestond zelfs een prototype maar ten slotte zag men van de verspreiding af vanwege bepaalde geconstateerde bijwerkingen die de onderzoekers nooit hebben kunnen wegnemen. Dit project was overigens zeer omstreden, zelfs binnen het Netwerk, want degenen die principieel tegen elke vorm van genetische manipulatie waren, vonden het onlogisch om op die manier kwaad met kwaad te vergelden en de ene verstoring van de natuur in de hand te werken ter compensatie van de verwoestende gevolgen van de andere. Daarentegen schaarde iedereen zich unaniem achter het plan om gelden ter beschikking te stellen voor de ontwikkeling van een antistof, dat wil zeggen een middel waarmee de uitwerking van de 'stof' bij mensen die deze hadden ingenomen, kon worden afgezwakt of zelfs volledig tenietgedaan; het onderzoek vorderde echter minder snel dan was voorzien en zelfs toen het was afgerond, bleek de methode ingewikkeld en duur te zijn, en derhalve moeilijk op grote schaal toepasbaar.

De doeltreffendste maatregelen, namelijk die een doorslaggevende rol speelden bij het herstellen van het geboorte-evenwicht, waren van financiële aard: de ene regering na de andere ging ertoe over om aan gezinnen met een hoog inkomen aanzienlijke belastingvoordelen toe te kennen bij de geboorte van een meisje en tijdens de hele periode van haar kinder- en tienerjaren; gezinnen met een bescheiden inkomen kregen een speciale uitkering die groot genoeg was om een groot aantal vrouwen ertoe over te halen hun baan op te geven om een kind te krijgen – idealiter een meisje.

Jammer genoeg dachten verschillende landen er goed aan te doen deze voordelen ook te laten gelden voor gezinnen die een meisje wilden adopteren; in dat geval zou de adoptieprocedure worden vereenvoudigd. Het Netwerk probeerde deze methode, waarvan het fnuikende karakter bij iedereen in het oog had moeten springen, tevergeefs aan de kaak te stellen: in een wereld waarin steeds minder meisjes te vinden waren, waarin het 'krijgen' van een dochter financiële voordelen bood, zou een oncontroleerbare en smerige handel ontstaan die de haat alleen maar zou aanwakkeren, maar daarover kom ik straks nog te spreken.

Ook andere maatregelen, waarover beter was nagedacht, zouden effect hebben, met name een opvallende campagne die werd gevoerd op de televisie, in de bioscoop en met behulp van reusachtige affiches; daarop stond een man afgebeeld die met uitgestrekte armen een meisje boven zijn hoofd hield dat hij vol aanbidding aankeek; eronder stond de pregnante slogan: 'Een vader, een dochter.'

De man op dat affiche was ik en het meisje Béatrice natuurlijk. Het was de campagneleider die mij dat voorstelde, maar ik verdenk Clarence ervan dat ze hem op het idee heeft gebracht. Eerst moest ik erom lachen, maar in een vlaag van verstandsverbijstering zei ik ten slotte ja, omdat ik me ervan liet overtuigen dat als oprechtheid iets kon uithalen, de manier waarop ik naar Béatrice keek dat zou doen.

Het was niet gemakkelijk om een meisje van negen jaar dat al behoorlijk groot was, met uitgestrekte armen een paar zwaarwegende seconden achter elkaar in de lucht te houden; toch wist de fotograaf het beeld een vliegende beweging te geven waarmee tegelijkertijd de gedachte aan de schepping, het spelelement en het beeld van de generaties die elkaar opvolgen, werden opgeroepen.

Zolang ik nog in de studio was – er moesten wel een paar honderd opnamen worden gemaakt, wat wel drie dagen in beslag nam – was het idee een idee gebleven. Maar toen ik mezelf meer dan levensgroot op de muren zag, kon ik wel door de grond zakken; mijn eerste gedachte ging naar het museum: gelukkig ga ik er niet meer heen, zei ik tegen mezelf, ik zou nooit het gelach van de studenten of de spottende opmerkingen van mijn collega's hebben kunnen verdragen.

Maar deze anekdote is maar bijzaak, de bedoeling van de campagne ging verder dan een affiche en een slogan. Het ging erom de mensen in te prenten dat een stamhoudster evenveel waard was als een stamhouder. De wetgeving had zich al in die richting aangepast, behalve op één formeel maar wezenlijk punt: de naam.

Hoe kon dat worden opgelost? Door zoals in Spanje het kind zowel de naam van de moeder als die van de vader te geven? Het zal duidelijk zijn dat het machisme of, om een term te gebruiken die in die tijd in de discussies werd gebezigd, de leer van het 'stamhouderschap', daardoor niet werd ontzenuwd. Wat moest men dan? Ieder kind de keus laten tussen de familienaam van zijn vader en die van zijn moeder?

Ikzelf was voorstander van een nog radicalere hervorming: de familienaam van de moeder verplicht stellen. Zoals kinderen lange tijd verplicht waren geweest de naam van hun vader te dragen, zouden ze voortaan, net zo verplicht, die van hun moeder moeten dragen. Ik zal mijn argumentatie hier niet herhalen, maar beperk me tot de verduidelijking dat de hoofdgedachte ervan berustte op de radicale omkering van het begrip 'erfelijkheid' in een zin die meer overeenkomt met de biologische logica en bevorderlijker is voor de instandhouding van het menselijk ras.

Hoewel ik niet op alle punten bijval kreeg, stemden veel landen ermee in om de wetgeving op de namen aan te passen; het begrip 'patroniem' is nooit meer met dezelfde vanzelfsprekendheid uitgesproken als voorheen.

Maar mijn rol en ideeën zijn niet belangrijk; ik heb in deze zaak als schrijver geen enkele eigenliefde. Wat die jaren betreft is het enige wat ertoe doet het feit dat de reeks maatregelen die in de noordelijke landen werd doorgevoerd, doeltreffend leek te zijn. Het aantal vrouwelijke geboorten begon geleidelijk te stijgen. En tot grote opluchting van iedereen kon weldra worden verkondigd, met statistieken in de hand, dat de ontvolking een halt was toegeroepen.

Dat was waarschijnlijk de reden dat men niet onmiddellijk begreep dat het kwaad al was geschied.

P

Te midden van de samenzang van zelfvoldane klanken die alle landen op het noordelijk halfrond doof maakte, waren er desondanks onmiddellijk al stemmen die zich verhieven om de enige vraag te stellen die echt van belang was: wat zou in de komende jaren de nasleep zijn van de ernstige verstoring van het geboorte-evenwicht die zich zojuist had voorgedaan? Er werd slechts naar hen geluisterd zoals een drenkeling die op het nippertje is gered, luistert naar degene die hem waarschuwt dat hij moet oppassen om in zijn doorweekte kleren geen kou te vatten.

En als er tegen de geredde werd gezegd dat er aan het andere eind van het strand nog een onbekende aan het verdrinken was, zou hij dan opspringen om hem te hulp te komen? Nee, hij zou blijven liggen, languit, onbeweeglijk, uitgeput, ongelovig, en de momenten van schrik, paniek en daarna redding opnieuw door zijn hoofd laten gaan. Dat is mijn verklaring voor de aanvankelijke mislukking van de campagne die het Netwerk in het jaar dertien heeft gelanceerd, met als thema: 'Het Noorden is gered, nu het Zuiden nog'.

Nu nog steeds kan ik maar nauwelijks geloven wat ik heb gelezen of gehoord. Dezelfde argumenten die Pradent had gebruikt, werden klakkeloos voorgeschoteld, alsof de gebeurtenissen niets anders hadden gedaan dan ze rechtvaardigen. Het noordelijk halfrond werd met ontvolking bedreigd, zei men, daarom was er een reddingsactie op touw gezet. Van het zuidelijk halfrond daarentegen weet iedereen dat het overbevolkt is; een afname van de vruchtbaarheid zou hier geen verstoring van de natuur betekenen, maar juist een heilzaam herstel van het evenwicht. Nu de bevolking in 'onze landen' bovendien was geslonken, werd het eens te meer wenselijk dat zich 'daar' tenminste een soortgelijke afname zou voordoen. Om dit resultaat te bereiken waren alle middelen geoorloofd...

En ik dacht dat de oude demonen begraven waren! Bij het horen van deze argumenten moest ik weer denken aan een gesprek dat ik met André had toen ik twaalf of dertien was. Hij had me, zonder dat daar ook maar enige aanleiding toe was, gevraagd: 'Geloof je in spoken?'

'Nee!' had ik verontwaardigd geantwoord, gekwetst dat hij had kunnen geloven dat ik voor dat soort onzin ontvankelijk zou zijn. 'Nou, dan heb je het mis. Ik heb het niet over die lijken met klauwen die in de omgeving van kerkhoven ronddolen. Ik heb het over spookbeelden met even lange klauwen en even bloeddoorlopen ogen; je zal ze in alle fasen van je leven tegenkomen, maar je kan ze niet doden, want ze zijn al dood.' Of het nu beeldspraak was of niet, deze spookbeelden spookten lange tijd in mijn jongenshoofd rond; tot op de dag van vandaag kom ik ze nog altijd tegen, overal jaag ik ze verwoed na, maar zonder mezelf illusies te maken.

Dat was zo ongeveer de gemoedstoestand waarin ik verkeerde toen de treurige 'Vitsiya-affaire' of 'hemelboogzaak' tot uitbarsting kwam. Een even tragische als lachwekkende gebeurtenis, ik schaam mij dat ik er überhaupt over moet beginnen, zoals ook al mijn tijdgenoten zich zouden moeten schamen. Maar zo was het nu eenmaal, zo erg was het toen al het met de wereld gesteld! Ik heb al verteld dat veel regeringen hadden besloten de adoptie van meisjes uit het buitenland te vergemakkelijken om zo het geboortetekort aan te zuiveren, en dat het Netwerk daar tevergeefs tegen had geprotesteerd. Wij waren van mening dat adoptie beslist een rol van affectieve compensatie vervult maar in geen geval een middel voor demografische compensatie moet worden; dat het een zeer loffelijk streven van de mensen is, mits het strikt individueel wordt uitgevoerd; dat het niet de inzet mag worden van wat voor vorm van commerciële transacties dan ook, noch financiële voordelen mag bieden. Als het om de jeugd gaat, is de scheidslijn tussen nobel en laag, tussen edelmoedig en schofterig flinterdun...

Maar zowel de autoriteiten als de publieke opinie werden volledig beheerst door de angst voor ontvolking en wilden niet met dergelijke nuances worden lastiggevallen. Men dacht in termen van percentages, tekorten, globaal evenwicht, en was maar al te bereid om de massale verplaatsing van meisjes van het zuidelijk naar het noordelijk halfrond als een geoorloofde en zelfs heilzame actie te beschouwen.

Een Amerikaanse 'televisiedominee', oorspronkelijk afkomstig uit Oekraïne – ik kan me zijn echte naam nu niet herinneren, maar hij liet zich gewoonlijk 'Vitsiya' noemen, wat volgens mij in Oekraïens dialect 'vadertje' betekent – besloot een grootscheepse operatie op touw te zetten om tienduizend pasgeborenen, bijna allemaal meisjes, afkomstig uit Brazilië, de Filippijnen, Egypte en andere gebieden in het Zuiden naar het noordelijk halfrond over te brengen; hij werd daartoe evenzeer door de wetgeving als door de publieke opinie aangemoedigd. Met behulp van een enorme publiciteitscampagne organiseerde hij een ware luchtbrug, die hij hoogdravend 'de hemelboog' doopte.

Men moet die dagen met eigen ogen of, zoals sommigen in die tijd graag zeiden, 'live' hebben gevolgd om de volledige betekenis van wat daar gebeurde te begrijpen. Verschillende televisiezenders waren van mening geweest dat de operatie van Vitsiya een waar buitenkansje voor de media was, waardoor een publiek dat zeer ontvankelijk was geworden voor alles wat met bevolkingsproblematiek te maken had, volledig zou worden gegrepen en tot tranen toe zou worden geroerd; misschien ging het zelfs wel om een belangrijke historische gebeurtenis die ze absoluut niet mochten 'missen'.

Zo kwam het dat gedurende achtenveertig uur, een heel weekend lang, honderden miljoenen gezinnen aan hun televisietoestel gekluisterd zaten om de beelden van de operatie, afgewisseld met interviews met de held van de dag, een reus met een glanzende baard en met blonde, borstelige wenkbrauwen, uit en te na te bekijken.

Vitsiya was niet, zoals men hem tegenwoordig graag mag afschilderen, een banale dweper die verzot was op publiciteit. En zijn betoog was niet onzinnig. Neem nou eens, zo zei hij, het geval van een meisje dat zojuist in een Sudanees dorp is geboren. Als we rekening houden met de kindersterfte en de risico's van de bevallingen die ze in het verschiet heeft, is haar levensverwachting ongeveer veertig jaar; in Europa zou datzelfde meisje tachtig jaar leven. Wie kan dan botweg besluiten haar van de helft van haar leven te beroven?

Vraag: zou het niet beter zijn om dat kind te helpen daar waar ze is en haar in staat te stellen om binnen haar eigen gemeenschap een beter bestaan te leiden? Antwoord van Vitsiya: 'Dat is precies wat ons de afgelopen vijftig jaar voortdurend is voorgehouden, maar er is niets aan gedaan. Als ik niet lijdzaam wil toezien hoe dat meisje binnen zes maanden zal sterven aan een epidemie, of een of ander gebrek zal krijgen of het leven zal laten op het moment dat ze haar eerste kind ter wereld brengt, kan ik niet wachten tot alle problemen van de wereld zijn opgelost. Het gaat er niet om het lot te bestuderen van een willekeurig schepsel, van een onbelangrijk gegeven dat in een technocratische computer is verwerkt. Het gaat erom naar de landen te gaan waar armoede heerst, er een kind te ontmoeten, het in de ogen te kijken en je af te vragen: ga ik dit kind redden of laat ik het creperen? Zo simpel is het. Wanneer ik weet dat duizenden en nog eens duizenden gezinnen in de rijke landen op dit kind zitten te wachten, klaar om het in hun midden op te nemen, het al hun liefde te schenken, het een opleiding te laten volgen waardoor het als volwaardig mens voor zichzelf zal kunnen zorgen, het een waardig bestaan te geven, een lang en gelukkig leven, heb ik dan nog het recht om te aarzelen?'

Maar, vroeg een journalist hem, wat wilt u dan eigenlijk doen? Alle kinderen uit het Zuiden naar het Noorden halen? 'Alle kinderen, dat zou me helaas niet lukken,' antwoordde de zendeling met een kalme provocerende grijns, 'maar als ik erin zou slagen om tienduizend kinderen te redden, zou mijn eigen leven niet nutteloos zijn geweest.'

Niets in zijn betoog scheen me laakbaar of schandelijk toe. En hoewel de motieven van de operatie niet altijd zo nobel waren als hij beweerde, ben ik er ondanks alles wat er is gebeurd nu nog steeds niet van overtuigd dat deze man een schurk was. Het valt echter niet te ontkennen dat de zaak op afschuwelijke wijze uit de hand liep en dat hij daarvoor verantwoordelijk was. Maar naarmate de tijd verstrijkt, komt Vitsiya slechts naar voren als degene die met veel poeha een ontaarding aan het licht bracht waaraan hij haast geen deel heeft gehad.

Als hij in de fout is gegaan, komt dat volgens mij eerst en vooral door de buitenproportionele opzet van zijn project, en door de ongelooflijke blunders die daarmee samenhingen. Zo vond hij het bijvoorbeeld wel belangrijk om een gigantische operatie op touw te zetten die tot de verbeelding van het publiek zou spreken en een lokkertje voor de media zou zijn, maar had hij het niet nodig gevonden om van tevoren voor alle kinderen een gastgezin te vinden, omdat hij ervan overtuigd was dat er meer dan genoeg gegadigden zouden zijn. Hij had dus een eerste lading van tweeduizend zuigelingen 'voor de verkoop' – dat zijn de eerste woorden die in me opkomen – met reusachtige vliegtuigen naar Parijs, Londen, Berlijn en Frankfurt laten komen, en als mijn geheugen me niet bedriegt ook naar Kopenhagen en Amsterdam, en had het aan het mediacircus overgelaten om afnemers aan te trekken.

Om de bezorgdheid van potentiële adoptieouders weg te nemen had hij de kinderen een zeer nauwkeurig medisch onderzoek laten ondergaan en alleen de gezondste kinderen geselecteerd. En opdat niemand ook maar de minste twijfel hierover zou hebben, had hij affiches laten drukken waarop hij stond afgebeeld met een baby op zijn linkerarm terwijl hij met zijn rechterhand zwaaide met een officieel ondertekend medisch certificaat. Voor de gelegenheid had hij een witte jas aangedaan, waarschijnlijk om de indruk te geven dat het er allemaal zeer hygiënisch aan toeging, maar het beeld deed ergerlijk genoeg denken aan een reclamecampagne die een supermarkt een paar weken daarvoor had gevoerd om zijn assortiment worsten aan te prijzen.

Dit beeld wekte de eerste negatieve indruk in een lange reeks die zou volgen. De televisienetten die de hele gebeurtenis live uitzonden, registreerden een kijkdichtheid die nog nooit eerder was gehaald, maar Vitsiya, die ieder uur op de televisie verscheen, met vragen werd bestookt en uitgeput was van de reis, liet zich steeds meer onhandige opmerkingen ontvallen. Soms waren ze zelfs ronduit rampzalig! Zo erkende hij dat kinderen met de minste ziekte of de geringste afwijking waren afgewezen. 'Dus in plaats van u te bekommeren om de kinderen die vanwege hun lichamelijke toestand de meeste zorg en aandacht verdienden,' wreef men hem onder de neus, 'hebt u de voorkeur gegeven aan de gezondste kinderen, die u gemakkelijker kunt onderbrengen.' Zijn weerwoord klonk bepaald niet overtuigend.

In antwoord op een andere vraag hoorde men hem verduidelijken dat hij had besloten de kinderen in zes categorieën, naar huidskleur, in te delen, 'om de ouders te helpen bij het maken van een keuze die het beste overeenkomt met hun gezinsharmonie'; en dat hij, hoewel hij bleef vasthouden aan het principe van dezelfde 'financiële bijdrage' voor ieder adoptiekind, korting zou geven als men een kind van een ander ras zou adopteren. Daar hing een luchtje aan van 'koopprijs' en 'afgeprijsde' kinderen waarvan ik en vele anderen met mij misselijk werden.

De omroepen begonnen telefoontjes te krijgen van verontwaardigde en soms zelfs dreigende kijkers. Vervolgens barstte het eerste incident los toen de zendeling, terwijl hij bezig was de vele voordelen op te hemelen van het overbrengen van kinderen naar de noordelijke landen, op het ongelukkige idee kwam om te zeggen dat hij speciaal veel baby's uit islamitische landen had gehaald, met name uit Egypte, Turkije, Somalië en Sudan, 'om te zorgen dat zij – en dat gold vooral de meisjes – zouden ontsnappen aan het droeve lot dat hun anders in hun geboorteland ten deel zou vallen, en om hen in staat te stellen in een beter religieus en cultureel klimaat op te groeien'. Door verschillende islamitische organisaties werden protestverklaringen gepubliceerd, en weldra ontstonden er in zowel Frankrijk als Nederland, België, Engeland en Duitsland op schijnbaar spontane wijze oploopjes in woonwijken met een hoog percentage immigranten.

In de nacht van zaterdag op zondag, toen de operatie 'hemelboog' bijna vierentwintig uur aan de gang was en men op een nieuwe golf jumbojets zat te wachten, braken er onlusten uit. Qua omvang deden ze denken aan de onlusten die zich in de jaren zestig van de vorige eeuw hadden voorgedaan in Watts en in andere zwarte wijken in de Amerikaanse steden, maar ditmaal speelden ze zich hoofdzakelijk in Europa af. Waarschijnlijk hadden de negergetto's in Amerika al te lang onder binnenlandse gewelddadigheden te lijden gehad. Dat was een van de verklaringen die toen werden geopperd... Feit blijft dat de enige incidenten die in Amerika werden waargenomen, in de Spaanstalige buurten plaatsvonden en dat ze nooit de omvang en de hevigheid bereikten die men toen in de Oude Wereld meemaakte.

Het spreekt voor zich dat de spanningen zich al decennialang hadden opgestapeld, dat het wantrouwen tussen de autochtonen en de immigrantengemeenschappen een erkend gegeven was waarmee iedereen had leren leven. Maar met uitzondering van een paar plaatselijke opstootjes van voorbijgaande aard, was geweld een hypothetische bedreiging gebleven. Na de grote vrees voor ontvolking zorgde de 'hemelboogaffaire' voor een ware uitbarsting. Gedurende bijna een week werd de golf van razernij steeds heviger en verspreidde zich over tientallen Europese steden. Dit ontaardde in rellen die weliswaar chaotisch en niet georganiseerd waren, maar die vreemd genoeg pasten in een algemeen model van onlusten, waarbij veeleer werd geplunderd en vernield dan dat er bloed werd vergoten, en waarbij men het steeds weer op hetzelfde doelwit had gemunt, namelijk alles wat een symbool was van hetzij de staat – verkeersborden, politieauto's, telefooncellen, bussen, overheidsgebouwen – hetzij rijkdom – winkels, banken, dure auto's – hetzij de medische sector.

Er vielen betrekkelijk weinig doden, een zestigtal in totaal, alle landen bij elkaar genomen, maar er werden maar liefst achtduizend gewonden geteld, plus natuurlijk voor miljarden aan schade. Een week lang was het leven in de Europese steden lamgelegd, net als bij een grootscheepse staking. De straten bleven donker en verlaten en waren vaak bezaaid met puin en brokstukken…

En nog lang daarna bleef er een sfeer van wantrouwen bestaan, alsof er een giftige stof was vrijgekomen die iedereen nog geruime tijd bleef inademen.

Q

Deze reusachtige klucht, gevolgd door die angst van continentale omvang, was dus nodig geweest om het schijnbaar onwankelbare egoïsme aan het wankelen te brengen en te zorgen dat het idee van een reddingsactie zich uiteindelijk over de hele mensenwereld verspreidde.

In een verklaring die we expres in plechtige bewoordingen opstelden en met veel tamtam uitbrachten, eiste het Netwerk der wijzen dat er nog dat jaar een wereldconferentie over de bevolkingsproblematiek zou worden georganiseerd. De tijd was er rijp voor en het idee werd onmiddellijk met open armen ontvangen. Veel staatshoofden en regeringsleiders kondigden aan dat ze zelf de delegatie van hun land zouden leiden.

De zetel van de Verenigde Naties in New York leek direct de ideale locatie om de gebeurtenis de vereiste weerklank te bezorgen. Behalve vertegenwoordigers van de verschillende staten besloot men bepaalde organisaties uit te nodigen die 'actief waren op het gebied van de humanitaire solidariteit', evenals een klein groepje vooraanstaande personen 'die de deelnemers van hun kennis en wijsheid zouden kunnen laten profiteren'.

Deze woorden leken precies op maat gesneden om te midden van, of beter gezegd, boven dit gezelschap de gestalte en de stem van Emmanuel Liev te laten zweven.

Nog één keer, tevens de laatste, was hij bewonderenswaardig. Met zijn tengere postuur en zijn hoofd dat aan de verbeelding van een goddelijke karikaturist was ontsproten, klom hij op het spreekgestoelte met de tred van een boer die op een hoop stenen klautert, liet over die honderden koningen, presidenten, ministers en andere excellenties een blik glijden als van een vogel die hoog op een tak is gezeten, een blik zonder onverschilligheid, maar ook zonder eerbied. Ik verwachtte bijna dat hij 'kinderen' zou zeggen. Hij had het kunnen doen; met zijn achtentachtig jaren kon hij ieders vader zijn, maar hij verkoos als volgt te beginnen: 'Hopelijk zal men het mij niet kwalijk nemen dat ik niet met de gebruikelijke aanspreektitels begin. Ik ken ze niet en ik heb geen tijd meer om ze te leren. Ik zal daarom volstaan met u aan te spreken met een titel waarmee eenieder zich vereerd mag voelen: mensen van goede wil!'

Emmanuel sprak negen minuten, zonder aantekeningen maar ook zonder te haperen, voor een zaal die muisstil luisterde. Zijn toespraak werd rechtstreeks in alle landen ter wereld uitgezonden. Met het verstrijken der jaren komt zijn betoog mij nu voor als een toonbeeld van scherpzinnigheid zonder dat dit evenwel gespeend was van hoop.

'We zijn met velen op deze aarde,' sprak hij, 'sommigen zullen zeggen: met te veel. Dat denk ik niet. Ik geloof evenmin dat we ons tot in het oneindige moeten blijven vermenigvuldigen; die "wiegenwraak" waarmee onderworpen bevolkingsgroepen soms het juk van de hen overheersende minderheden proberen af te schudden, vind ik zelfs meelijwekkend.

Met velen zijn we, ja, en waarschijnlijk hebben we ons te snel vermenigvuldigd. En toch, als we samen met onze acht miljard soortgenoten in de Middellandse Zee zouden verdrinken, weet u hoeveel de waterspiegel dan zou stijgen? Een tiende millimeter! Ja, broeders, kindekens, met al die mannen en vrouwen van de zes werelddelen vormen wij slechts een dunne laag, een flinterdunne laag vlees en bewustzijn op het aardoppervlak.

Sommigen zeggen dat het te vol wordt. Als de aarde overvol raakt, dan komt dat door onze hebzucht, ons egoïsme, ons uitsluiten van anderen, onze zogenaamde "levensruimten", "invloedssferen" of "veiligheidszones", en ook door onze onbeduidende drang naar onafhankelijkheid.

In de loop van de vorige eeuw heeft onze planeet zich opgesplitst in een heftig protesterend zuidelijk halfrond en een zeer geïrriteerd noordelijk deel. Sommige mensen hebben erin berust om dat te beschouwen als een alledaagse, culturele en politieke realiteit. Haat blijft niet tot in het oneindige een alledaagse realiteit. Op een dag komt die onder een of ander voorwendsel tot uitbarsting en dan komt men tot de ontdekking dat er de afgelopen honderd, duizend of tweeduizend jaar, helemaal niets in het vergeetboek is geraakt, geen enkele vernedering, geen enkele angst. Als het om haat gaat, reist het geheugen door de tijd en wordt met alles en nog wat, soms zelfs met liefde gevoed.

In de loop van de geschiedenis hebben weinig doctrines haat weten uit te roeien, het merendeel ervan heeft haat alleen van de ene zaak op de andere afgewenteld. Op de ongelovige, de vreemdeling, de afvallige, de meester, de slaaf, de vader. Natuurlijk heet haat pas haat wanneer wij die bij anderen waarnemen; voor de haat die wij in onszelf koesteren, hebben we talloze andere benamingen.

Vandaag de dag heeft haat de vorm aangenomen van een schadelijke stof, vrucht van geoorloofd onderzoek, vrucht van diezelfde genetische onderzoekingen die ons in staat stellen om misvormingen en tumoren te bestrijden, onze voedselbronnen te verbeteren en uit te breiden. Maar die stof is een verdorven vrucht die in ieder mens de slechtste instincten heeft blootgelegd.

Duizenden jaren lang hebben miljarden mensen gejammerd bij de geboorte van een meisje en zich verheugd over de geboorte van een jongen. En plotseling is er een of andere verleider gekomen om hun te zeggen: kijk, jullie hoop kan werkelijkheid worden. Al duizenden jaren zijn er volken, bevolkingsgroepen, rassen en stammen die ervan dromen diegenen uit te roeien die de onvergeeflijke fout hebben begaan anders te zijn. En nu zegt een verleider tegen hen: luister, jullie kunnen ze van de aardbodem laten verdwijnen zonder dat er een haan naar kraait.

Het overkomt me wel eens – u zult me deze hersenspinsels van een oude man vast wel vergeven – het overkomt me wel eens dat ik denk dat het aardse paradijs dat in de Schrift vermeld wordt, geen mythe van voorbije tijden is maar een profetie, een toekomstbeeld. De afgelopen decennia leek het alsof de mens bezig was dit paradijs te bouwen, nooit eerder was hij erin geslaagd om de materie, het leven, de krachten van de natuur zo te beheersen, hij beloofde zichzelf dat hij ziekte de baas zou worden; op een dag zou hij misschien ouderdom, ja zelfs de dood overwinnen. Ik spreek hier niet als ongelovige; als de wetenschap de God van het Hoe laat verdwijnen, is dat om de God van het Waarom duidelijker op de voorgrond te laten treden, die nooit zal verdwijnen. Ik acht hem in staat de mens alle macht te geven, zelfs de macht om meester te zijn over leven en dood, die alles welbeschouwd slechts natuurlijke verschijnselen zijn. Ja, ik acht God in staat ons, zijn schepselen, te laten meewerken aan zijn schepping. Wanneer ik proeven doe met de genen van een perenboom, heb ik de diepe overtuiging dat God mij daartoe het vermogen en het recht heeft gegeven. Maar er zijn verboden vruchten. Niet simpelweg seks en kennis, zoals door onze voorouders werd gedacht; de verboden vruchten zijn complexer, moeilijker te onderscheiden, en we zullen ze eerder dankzij ons verstand dan dankzij ons geloof herkennen.

Hoe grijs, hoe zogenaamd geleerd en wijs ik ook mag

zijn, ik geef toe dat ik niet weet waar precies de grenzen liggen die niet overschreden mogen worden. Waarschijnlijk op het gebied van de kernenergie en ook bij bepaalde manipulaties van onze hersenen of onze genen. Wat ik wel met grotere zekerheid kan vaststellen, als ik dat zo mag zeggen, zijn de momenten waarop de mensheid levensgevaarlijke risico's neemt voor zichzelf, voor haar integriteit, haar identiteit, haar voortbestaan. Dat zijn de momenten waarop de nobelste wetenschap zich ten dienste stelt van de schandelijkste doeleinden.

Er zijn verontrustende dingen gebeurd, maar dat heeft allemaal niets te betekenen vergeleken bij hetgeen ons te wachten staat. Ik weeg mijn woorden zorgvuldig als ik zeg: sommige rampen zullen onafwendbaar zijn. Laten we ons daarvan bewust zijn en trachten het ergste te vermijden.

Over de hele wereld zijn duizenden steden, miljoenen dorpen waar het aantal meisjes nog altijd terugloopt; in sommige plaatsen is dit verschijnsel al bijna twintig jaar aan de gang. Het ligt niet in mijn bedoeling met u te praten over al die meisjes die door een verachtelijke vorm van discriminatie niet ter wereld zijn gekomen. Daar gaat het nu niet meer om. Ik ga u onomwonden vertellen waar ik bang voor ben, maar het probleem zal zich ook onomwonden voordoen: ik denk aan die horden mannen die jarenlang zullen rondzwerven op zoek naar een levensgezellin die niet bestaat; ik denk aan die woedende mensenmassa's die zullen ontstaan, groeien en losbarsten, krankzinnig geworden van de frustratie – niet alleen in seksueel opzicht, maar ook omdat hun iedere kans is onthouden om een normaal leven te leiden, een gezin, een thuis, een toekomst op te bouwen. Kunt u zich alleen al die opgekropte verbittering en gewelddadigheid van deze mensen voorstellen, die geen enkele genoegdoening kunnen krijgen, noch tot bedaren kunnen worden gebracht? Welke instellingen zullen zich daartegen teweer kunnen stellen? Welke wetten? Welke orde? Welke waarden?

Ja, er zijn bijna overal uitbarstingen van geweld geweest. Maar dat was nog niet het geweld van razende mensen. Het was het geweld van verontruste mensen die zelf niet die frustratie hebben meegemaakt, die wel een gezin hebben en die zich erover hebben verheugd dat ze zonen, erfgenamen hebben gekregen. Zij protesteren, zij roeren zich omdat ze zich ongerust maken over de toekomst van hun gemeenschappen, maar hun ongerustheid blijft beperkt omdat ze het drama niet aan den lijve ondervinden, omdat ze niet helemaal overtuigd in opstand komen tegen een kwaad dat de mensheid nooit eerder heeft meegemaakt en dat daarom vaag en hypothetisch blijft. Morgen zullen de generaties opstaan die de ramp hebben meegemaakt, de generaties van mannen zonder vrouwen, generaties die van elke toekomst zijn afgesneden, generaties met een onbedwingbare wrok.

Ik heb een vertrouwelijk rapport in handen gehad over een grote stad in het Nabije Oosten. Daar telt men nu, onder de leeftijd van zeventien jaar, anderhalf miljoen jongens en nog geen driehonderdduizend meisjes. Ik durf mij niet eens in te denken hoe de straten van die stad er over een, twee, tien of twintig jaar zullen uitzien... Hoe ver vooruit ik ook kijk, ik zie alleen maar geweld, waanzin en chaos.

Door toedoen van lage, cynische berekeningen, door het onzalige samengaan van oude tradities en een ontaarde wetenschap zal de planeet die onze thuisbasis is, de mensheid die wij samen vormen, de ergste periode van onlusten uit de geschiedenis doormaken, zonder zich ook maar te kunnen beroepen op het lot of een gesel Gods.

Kunnen we het kwaad nog afwenden? We kunnen alleen

trachten de gevolgen ervan te verzachten. Als alles in het werk zou worden gesteld, als alle landen van het noordelijk en het zuidelijk halfrond hun wrok zouden vergeten, over hun verschillen heen zouden stappen, in het geweer zouden komen zoals bij een mobilisatie in oorlogstijd; als men de komende maanden direct zou beginnen om het geboorte-evenwicht te herstellen, als men zich zou ontdoen van de vernietigende vooroordelen, als men alle gefrustreerde energie zou bundelen ten behoeve van één titanenarbeid, één grandioze, scheppende onderneming waardoor de wereld weer een stralend en menselijk aanzien zou krijgen; als men er zonder grof geweld in zou slagen ook maar een beetje samenhang en orde te bewaren in de contacten tussen de werelddelen, dan, misschien, zal dit schip waarop wij varen niet zinken. Het zal in de storm wel heen en weer worden geschud en averij oplopen, maar misschien zullen we dan een schipbreuk kunnen voorkomen.'

De spreker deed een stap alsof hij het spreekgestoelte wilde verlaten, kwam vervolgens terug met een nadenkende, verwarde, aarzelende uitdrukking op zijn gezicht, om dit ene woord te herhalen: 'Misschien.'

De reactie toen hij het podium af liep, was onverwacht, ongehoord, en voorzover ik weet uniek in de geschiedenis van de Verenigde Naties. De afgevaardigden, die een paar ogenblikken verbijsterd waren blijven zitten, stonden de een na de ander op, maar zonder ovatie, zonder te klappen. Een zwijgend eerbetoon, maar een verpletterend eerbetoon. En pas nadat Liev weer bij zijn plaats was aangekomen, pas nadat hij was gaan zitten, pas nadat hij de mensen om hem heen een teken had gegeven dat ze moesten gaan zitten, liet de zaal zich in de stoelen terugvallen, plotseling onzeker van zichzelf, plotseling wankel op de benen.

Emmanuel bleef gedurende enige tijd met gesloten ogen

zitten, alsof hij zich aan de aandacht van de wereld wilde onttrekken. Zijn linkerbuurman was een Amerikaans lid van het Netwerk, professor Jim Cristobal; zijn rechterbuurvrouw was niemand anders dan Clarence. Toen de vergadering zo goed en zo kwaad als het ging werd hervat, boog ze zich naar de 'Ouweheer' toe om hem in zijn oor te fluisteren: 'Wat een huldiging!'

'Inderdaad, een huldiging. Een huldiging van machtelozen.'

R

Ik was niet naar New York gegaan. Het Netwerk werd er al uitgebreid vertegenwoordigd door Liev en een paar beroemde leden uit verschillende landen; en Clarence, mijn partner op het secretariaat, was op deze reis van veel meer nut dan ik, alleen al vanwege haar contacten met de pers. Ik had de conferentie dus vanuit de verte gevolgd, het optreden van Emmanuel had mijns inziens het gewenste effect gehad, ik bedoel dat het aangrijpend genoeg was geweest om de schrikreactie teweeg te brengen die nodig was. Vooral de houding van de zaal had zeer veel indruk gemaakt, zelfs op de televisiekijkers, want de commentator had de tact of het juiste instinctieve gevoel gehad om zich bij de stilte van de afgevaardigden aan te sluiten. In Parijs was het nacht en Béatrice, die net als ik was opgebleven, had zich tegen mij aan gevlijd.

Ik bewaar een dierbare herinnering aan deze nacht. Allereerst omdat het een duidelijke triomf was voor alles waarvoor Clarence, André, Emmanuel en ik jarenlang hadden gevochten. Daarnaast omdat ik deze gebeurtenis bekeek in gezelschap van degene die mij het dierbaarste was. Als ik het op zo'n manier verwoord, zal het wel erg onnozel klinken, maar nog nooit eerder was ik een nacht lang alleen met mijn dochter opgebleven. Ik had natuurlijk haar geboorte meegemaakt en in de maanden daarna vele slapeloze nachten met een hongerige schreeuwlelijk doorgebracht, maar die tel ik niet mee, dat was anders, toen was ze alleen maar een krijsend keeltje, een wurm; dit keer was ze onmiskenbaar een vrouw in de dop, een schoonheid van veertien jaar. Het was drie uur 's nachts, we hadden zojuist dezelfde angsten en hetzelfde enthousiasme met elkaar gedeeld en ook, op het eind, een paar vingerhoedjes champagne.

Ik had besloten Clarence niet voor zes uur 's ochtends in haar hotel te bellen – middernacht in New York. Tijdens de uren die ik moest wachten, vertelde ik Béatrice voor het eerst op een overzichtelijke manier, in chronologische volgorde, van de gebeurtenissen die het onderwerp van dit boek zouden gaan vormen. Toen ik die nacht mijn herinneringen bij elkaar raapte en een poging deed om ze op een rijtje te zetten, om ze, als ik dat zo mag zeggen, 'in een logische volgorde uit te stallen', was het trouwens de eerste keer dat ik op het idee kwam – een nog vage, achteloze gedachte die zomaar door mijn hoofd ging – deze dingen, die inbreuk hadden gemaakt op mijn leven, ooit op papier te zetten.

Eerst was ik van plan om mij tot Béatrice te richten, misschien in een reeks brieven of in een andere beproefde vorm, om haar te vertellen over de eeuw die met haar geboorte werd afgesloten, en over de verraderlijke dingen waarop die eeuw was uitgegleden. En misschien om te schetsen hoe de eeuw waarin zij zou leven eruit zou zien.

Zowel sprekers als schrijvers maken soms dat moment mee waarop de woorden als vanzelf ontstaan, alsof je van het ene wakkere stadium in het andere stadium belandt. Je laat je meeslepen en je wordt als het ware een ander. Je praat niet meer, je laat en hoort jezelf praten. Je schrijft niet meer, je houdt alleen maar je pen vast opdat die op het rechte spoor blijft, als een rijdier dat voortloopt zonder benul van het doel van de reis die je hem laat afleggen.

Tijdens die slapeloze nacht in gezelschap van Béatrice was ik twee uur lang die geïnspireerde spreker; als er op dat moment een bandrecorder had aangestaan, zou mijn boek tot aan deze regel toe op een minder aarzelende toon zijn geschreven, met een nauwgezetheid ten aanzien van de feiten die veel meer bij mijn aard past dan de moeizame wijze waarop ik ze op mijn huidige leeftijd benader.

Het gezicht van Béatrice bleef onbeweeglijk en strak op mij gericht, zoals een zonnebloem die zich in vol vertrouwen naar de zon wendt. Toen ik haar zo zag, durfde ik niet meer te stoppen, noch een ander onderwerp aan te snijden, noch mijn woorden af te zwakken.

Op het moment dat ik bij de bijeenkomst in New York was aangekomen, wees ik met een theatraal gebaar naar de televisie die net was uitgegaan, als om bij wijze van besluit te zeggen: 'En zo is het gekomen...'

Béatrice wendde gehoorzaam haar ogen naar de beeldbuis waarop ik had gewezen, maar richtte ze onmiddellijk weer op mij.

'Weet je, wanneer ik de man van mijn leven zal ontmoeten, hoop ik dat hij op jou lijkt.'

Met een glimlach van milde spot wilde ik haar antwoorden dat meisjes dat altijd tegen hun vader zeggen, maar bij de eerste lettergreep die ik uitsprak, spatte er een rebelse traan op mijn gezicht en begonnen mijn lippen en wangen te trillen.

Béatrice veegde, op haar knieën op de bank gezeten, mijn tranen met het uiteinde van haar mouw weg, luchthartiger dan ze gewoonlijk was.

'Schaam je je niet, een grote vader als jij die als een klein meisje zit te huilen?'

'Schaam jij je niet, klein meisje, om zulke dingen tegen je oude vader te zeggen?'

Ze sloeg haar armen om mijn hals, net zoals toen ze nog klein was en ik haar bij haar oppas bracht, dezelfde bruine slinger om mij heen, nauwelijks zwaarder geworden, en warm en klam en geurend naar zoet kinderzweet.

Degenen die overal incest om zich heen zien, mogen ervan denken wat ze willen, maar in de armen van dit kind van mijn eigen vlees en bloed had ik tot het einde der tijden zo willen blijven zitten, ook al drukte haar gewicht zwaar op mijn heupen en hingen haar haren voor mijn ogen; maar waarom zou ik ze hebben weggehaald? Zou ik iets anders hebben willen zien?

We waren nu allebei stil, haar ademhaling werd rustiger en haar omhelzing verslapte. Ik bewoog me zo traag mogelijk om haar niet wakker te maken, schoof een arm onder haar rug, de andere onder haar knieën en bracht haar vervolgens naar haar bed, waarin ik haar neerlegde.

Toen ik mezelf oprichtte voelde ik een wervel kraken. Het vermaledijde karkas van een vijftigjarige. En toch, wanneer ik nu nog wel eens diezelfde pijn voel, juist nu, doordat ik een onvoorzichtige beweging maak, dan komt het niet in me op om te klagen, want dan moet ik weer denken aan die slapeloze nacht, aan het gezichtje van Béatrice, aan de ademhaling van het slapende kind, aan die lieve, zware last die ik in bed heb gelegd, en door de balsem van die herinnering verandert de pijn in een streling, een plagerige prik, een tedere steek van liefde.

's Morgens vroeg kreeg ik na drie pogingen Clarence aan de lijn. Ze kwam net terug van een werkdiner waarbij de slottekst van de conferentie was opgesteld. Ze was in een jubelstemming maar wel uitgeput; toch kon ze het nog opbrengen om mij de belangrijkste punten voor te lezen waarin de waarschuwingen van Liev soms woordelijk werden herhaald en waarin de deelnemers op een beleefd bevelende toon de volgende reeks maatregelen werd aanbevolen: een absoluut en algemeen geldend verbod op de productie en verkoop van de kwalijke 'stof', en de vernietiging van alle bestaande voorraden; een uniforme wetgeving ten aanzien van de kinderhandel; een rijk bedeeld fonds om die landen bij te staan die zelf niet de middelen hadden om de situatie het hoofd te bieden; en vooral een grootscheepse campagne die wereldwijd met veel publiciteit moest worden gevoerd om uitleg te geven over de uitbarsting van haat.

Hoewel ik er in de voorgaande bladzijden al genoeg over heb gezegd, voel ik mezelf verplicht nog eens te benadrukken wat een enorme opgave die laatste maatregel was. Daarbij ging het niet meer eenvoudigweg over de 'stof', noch over al die gebeurtenissen waarop ik in dit boek heb gezinspeeld. Het probleem strekte zich verder uit dan welke horizon ook, en zelfs deze opgeblazen uitdrukking is in dit verband nog een banaal eufemisme: het ging erom door middel van een voorlichtingscampagne alle haat te bedwingen die duizenden jaren lang de ene mens tegen de andere had opgezet – daar ging het om, niet meer en niet minder. Als ik de dingen zo stel, zegt dat dan niet genoeg over de volmaakte absurditeit van een dergelijke taak? Welk wonder zou deze bewustwording kunnen bewerkstelligen? Ik sprak erover met Clarence, die ochtend en diverse andere keren in de weken daarna.

Zij beweerde, en dat leek in zekere zin logisch, dat de mensheid bang was, dat ze meer dan ooit tevoren voelde hoezeer ze in haar voortbestaan werd bedreigd, en dat de houding van alle naties in New York duidelijk aantoonde dat het mogelijk of in elk geval niet ondenkbaar was om de mensen wakker te schudden. Er was natuurlijk geen sprake van dat men alle haat de wereld uit zou kunnen helpen, zei ze om haar mening te nuanceren, maar wel kon de huidige uitbarsting die door de 'stof' was veroorzaakt, worden ingedamd. Was er in het verleden, toen er een kernoorlog dreigde, niet een soortgelijke schrikreactie geweest, waardoor die ramp daadwerkelijk was voorkomen? Bovendien, voegde ze eraan toe, beschikken we tegenwoordig over communicatie- en overtuigingsmiddelen die vroeger niet bestonden; als die middelen overal op hetzelfde moment zouden worden aangewend, met een vastberadenheid op alle fronten en een onbeperkt budget, dan zou het wonder zich kunnen voltrekken.

Ze hield een hartstochtelijk betoog, fel en verbeten als iemand die vecht voor zijn voortbestaan en dat van de zijnen. 'Aangezien geen enkele doctrine erin is geslaagd om haat de kop in te drukken, is angst misschien de beste raadgever! Dat is misschien de enige kans die we nog hebben!'

'Je praat nu net als Emmanuel Liev.'

Hoewel mijn opmerking onschuldig was, leek mijn partner van haar stuk gebracht. Ze bleef even stil, hapte naar adem, om vervolgens met een plotseling matte stem uit te brengen: 'Het tragische is dat Emmanuel in het openbaar praat zoals ik, maar dat hij denkt zoals jij.'

Ik voelde me een beetje schuldig dat ik op die manier, in een paar minuten tijd, en van een afstand, het ontroerende enthousiasme van Clarence de bodem had ingeslagen, en ik probeerde het goed te maken: 'Weet je, Emmanuel is net als André Vallauris. In hun jeugd hebben ze van zo dichtbij meegemaakt wat haat is, dat ze die nu van ver, van heel ver kunnen voelen aankomen. Dat is hun verdienste, zij het dat ze de neiging hebben om te geloven dat het een terugkerend en waarschijnlijk onoverwinnelijk verschijnsel is. Ik heb zelf te veel onder de invloed van André gestaan. Als ik naar de stem van mijn hart zou luisteren, als ik aan mijn diepste overtuigingen zou toegeven, zou ik mezelf thuis opsluiten en de wereld vervloeken, een nieuwe zondvloed voorspellen, en wanneer die zich zou voordoen, zou ik heen en weer geslingerd worden tussen voldoening omdat ik gelijk had en schaamte omdat ik voldoening voelde. Toe maar, Clarence, wind je maar op, verzet je, laat de vonken eraf spatten, want ook al zouden de gebeurtenissen mijn twijfel bevestigen, dan nog zal mijn twijfel minder nobel, minder waardig zijn dan jouw allernaïefste verwachtingen.'

'Ik hou van je', luidde haar antwoord uit New York naar Parijs. Dezelfde woorden kwamen als een echo terug van Parijs naar New York. En ik voegde eraan toe: 'Als je maar weet dat je tot het eind toe op je Sancho Panza kunt rekenen!'

In de belofte die ik zojuist aan mijn heldin had gedaan, school – dat moet ik nu toegeven – evenveel echte liefde als echte dubbelhartigheid. Want ook al was ik bereid om haar tot het eind toe bij te staan, dan was dat niet meer op de manier waarop ik dat tot dan toe had gedaan. Ik wilde bij haar blijven, haar aan alle kanten met mijn goede zorgen omringen, en – dit zeg ik in volle ernst – een begripvolle echtgenoot voor haar zijn, bij wie ze steun en stimulans zou vinden, ik was kortom bereid makker, broer, zoon en vader te zijn, en meer dan ooit geliefde. Toch kwam er een verlangen in me op dat hoe langer hoe dringender zou worden, namelijk het verlangen me volledig uit het openbare leven terug te trekken en mij weer te nestelen in mijn laboratorium, met mijn studieboeken, mijn microscoop en mijn geliefde insecten.

Ik wist dat het moment slecht gekozen was, dat ze zo'n houding zou opvatten als verraad, als desertie, en dat ze gelijk zou hebben. Maar diezelfde dag, in de ban van dat verlangen dat tijdens de slapeloze nachten tot een ware obsessie was uitgegroeid, besloot ik toch de directeur van het museum op te bellen, die mij voorstelde even bij hem langs te komen.

Dat was wel een beetje hard van stapel lopen, zult u mij zeggen, te meer daar mijn besluit nog niet vaststond. Dat ben ik met u eens, maar met verlangens moet je omgaan als met bepaalde zeldzame insecten: als je ze tegenkomt, zelfs als je naar iets anders op zoek bent, moet je de tijd nemen om ze te vangen, ze te registreren, ze te benoemen, ook al zul je ze vervolgens misschien tien jaar in een la laten liggen.

Ik ging dus even langs het museum, alleen maar om tegen de directeur, al heel lang een collega, te zeggen dat ik niet uitsloot dat ik op een dag weer naar mijn laboratorium zou terugkeren, en om hem te horen zeggen dat er voor mij altijd plaats in het 'huis' zou zijn, wanneer en hoe ik dat ook maar zou willen. We hadden, om het zo maar te zeggen, een afspraak gemaakt zonder een concrete datum te prikken. Dat was precies wat ik wilde.

Toen ik de deur van zijn werkkamer achter me dichtdeed, voelde ik me plotseling dronken van opwinding en gelukzaligheid; in plaats van onmiddellijk de straat uit te lopen en naar huis te gaan, wandelde ik rond in de Jardin des Plantes, de handen op de rug, de blik in de verte, met een vlugge, kwieke tred. En bij iedere stap werd mijn verlangen sterker, duidelijker, het vatte post in mij als een vanzelfsprekendheid die lange tijd was ontkend. Hoe had ik de stem van mijn hart zo kunnen tegenspreken, me in dat openbare leven kunnen storten dat ik altijd allesoverheersend en verachtelijk had gevonden? Ik heb steeds, zowel achter mijn microscoop als in het leven, willen horen bij degenen die observeren en niet bij degenen die geobserveerd worden. Door welk onbewust, tegennatuurlijk verlangen had ik ertoe kunnen komen om mijn plaats voor die van het insect te verruilen? Welke onvoorstelbare buitensporigheid had me ertoe kunnen brengen om als een pauw met mijn veren te pronken, met mezelf te koop te lopen?

Naarmate ik langer door de lanen ijsbeerde, ging ik steeds sneller lopen, werd ik steeds bozer en tegelijk steeds vrolijker over de toekomst. Zodra ik er de gelegenheid toe zou krijgen, zou ik er met Clarence en met Emmanuel over praten; daarna zou ik zonder nog één tel langer te wachten aan mijn gedaanteverwisseling beginnen, ik zou mijn uiterlijk veranderen, ik zou een borstelige, peper-en-zoutkleurige baard laten groeien, borstelig zoals dat past bij een wetenschapper die vastbesloten is wetenschapper te zijn en niets anders dan dat, peper-en-zoutkleurig zoals dat past bij iemand van in de vijftig. Daardoor zou ik een tijdlang door niemand worden herkend, behalve door de mensen uit mijn naaste omgeving. Ik heb me nooit op mijn gemak gevoeld als ik de blik van iemand anders op mij gericht wist. Dat komt niet omdat ik bang ben voor mensenmassa's. Ik kan er best tegen om ergens te zijn waar het vol is en wemelt van de mensen, als ik maar in de anonimiteit kan blijven; maar om bijvoorbeeld een restaurant binnen te gaan waar ik de kans loop te worden herkend, al is het maar door één persoon, daar kan ik niet tegen, dan loop ik naar buiten en voel me letterlijk onpasselijk.

Hoe kon ik dan les geven, zult u mij vragen. Ik zal u eens opbiechten welke truc ik had bedacht om mijn aversie te omzeilen: ik zorgde altijd dat ik vóór mijn studenten aanwezig was, dan ging ik het lege leslokaal binnen, nam plaats, stalde mijn papieren uit, nestelde me in mijn stoel en deed alsof ik diep in gedachten verzonken was. Niets kon me dan meer van mijn stuk brengen. Maar wanneer ik een collegezaal moest binnengaan, door het gangpad moest lopen met alle blikken op mij gericht en het podium moest betreden, voelde ik me bij iedere stap doodellendig en zou tien dagen van mijn leven hebben gegeven om ergens anders te mogen zijn. En wanneer ik dan eenmaal had plaatsgenomen, duurde het even voordat ik mezelf in bedwang had en iets verstaanbaars kon uitbrengen.

Kort en goed, ik sta niet graag in de schijnwerpers en heb dat ook nooit gedaan. Morgen, zo suste ik mezelf in slaap, zou ik, beschermd door het schild van mijn baard, opnieuw diegene worden die ik altijd heb willen blijven: een peinzende voetganger, geboeid door de kleinste diertjes op aarde en absoluut níét door de grootste.

Ik hoefde alleen maar te wachten tot een gelegenheid zich voordeed. Die was helaas zeer droevig: de dood van Emmanuel Liev, die een paar weken na zijn negenentachtigste verjaardag, in de serene rust van zijn landhuis overleed.

Hij was niet de 'bedenker' van het Netwerk der wijzen geweest, want die verdienste komt Vallauris toe, maar behalve dat was hij alles voor ons. Dankzij deze wijze man had het Netwerk gehoor gevonden, aan hem had het al zijn successen te danken en was het uitgegroeid tot een organisatie van wereldformaat die haar kracht en samenhang louter aan de aanwezigheid van de 'Ouweheer' ontleende. Nu hij er niet meer was, was het noodzakelijk en duidelijk dat de structuur en de werkwijze van de organisatie moesten worden herzien. Bij gebrek aan een persoonlijkheid van hetzelfde formaat, moest er een internationaal bestuur worden gevormd waarvan de leden bekwaam en bekend genoeg waren om de lege plaats die Emmanuel had achtergelaten op te vullen; ook moest het secretariaat beter worden toegerust, met een hoofdkantoor, regionale afdelingen, plaatselijke comités en een budget.

Deze hele reorganisatie, die vast noodzakelijk was – dat wil ik best aannemen – ging gepaard met de nodige onderhandelingen en onderonsjes. Ik weet wel dat het er bij alle vergaderingen van mensen zo aan toegaat, bij de heiligste congregaties en de meest gewijde colleges, maar ik kan daar slecht tegen. Ik stond er mijlenver vanaf. Overigens heb ik direct na de dood van Emmanuel mijn baard laten staan. En niemand, zelfs Clarence niet, zelfs Béatrice niet, vatte het op als iets anders dan een ouderwetse uiting van rouw.

S

De heiige en onweerachtige zomer die voorafging aan de vijftiende verjaardag van Béatrice en aan mijn terugkeer naar het laboratorium, bracht ik door in Les Aravis, in de Alpen van de Haute-Savoie, waar mijn familie al vier generaties lang een stukje berg bezit met een veeschuur, een grot in de berghelling en een herdershut, alles in verwaarloosde staat en niet per auto bereikbaar. Toen mijn ouders nog leefden, werd er al niet meer naar omgekeken omdat de voorkeur werd gegeven aan aangenamere vakantieoorden. In mijn hele jeugd heb ik er slechts een achternamiddag doorgebracht omdat we in de buurt waren en mijn vader wilde kijken of het terrein 'er nog was' en of de schuur nog overeind stond, meer niet, en ik dacht niet dat ik er ook maar de geringste herinnering aan had bewaard.

In wat voor opwelling had ik dit stukje koude grond dan plotseling tot verloren vaderland verheven? Welke stem heeft me op een nacht ingefluisterd dat ik van alle plekken op de wereld uitgerekend daar mijn baard zou laten staan, dat ik daar, in Les Aravis, tussen de schuur en de rotsen, mijn heil en toevlucht zou zoeken wanneer het zover zou zijn?

Noch Clarence noch Béatrice ging met me mee, ze verkozen allebei, maar onafhankelijk van elkaar, de luie geneugten van het strand boven mijn ongemakken in de bergen. Ik moest inderdaad op een geïmproviseerd bed slapen, terwijl haastig opgetrommelde werklieden de schuur veranderden in iets wat op een huis leek en het karrenspoor in een min of meer begaanbare weg. Ik vroeg hun alleen maar om het grove werk te doen, omdat ik vastbesloten was zelf in de loop der jaren op mijn eigen amateuristische manier het huis vanbinnen naar mijn zin te maken.

Ik kon mijn al te stadse handen en mijn te gladgeschoren gezicht domweg niet meer aanzien. Sommige mensen, zelfs in mijn naaste omgeving, hebben waarschijnlijk gedacht dat ik een van die crises doormaakte waarop de moderne zielenknijpers een reeks van vreemde benamingen hebben geplakt; als je hen moet geloven, wordt iedere leeftijd en ieder avontuur van de geest gekenmerkt door een symptoom dat om een remedie, consideratie en gefluister vraagt. Toen wij elkaar leerden kennen, zei Clarence dat ik oerouderwets was en in een andere tijd leefde. Ze zat er niet ver naast: ik denk met heimwee terug aan die tijd die ik met mijn neus in de boeken doorbracht en waarin een man nog rustig kon praten over zijn 'zielenpijn' of over een 'beklemd gemoed' zonder dat men meteen dacht dat er iets mis met hem was.

Natuurlijk miste ik mijn dochter en mijn vrouw die zomer, maar mijn verlangen naar de met gras begroeide paden, de geur van de alpenweiden, de eenzaamheid en de rust van de bergtoppen was sterker. Ik keek naar de Mont Blanc bij zonsopgang, wanneer het landschap er nog in verstilde pasteltinten bij ligt; ik keek er ook naar wanneer het nacht was, bij voorkeur een maanloze nacht, wanneer de top zijn witte kleur alleen aan de eeuwige sneeuw te danken heeft.

In de zuivere nachten van Les Aravis hoor je slechts het geluid van insecten op zoek naar liefdesavonturen en ik had er plezier in om ze van elkaar te onderscheiden, zoals andere mensen sterren benoemen.

Ik sliep weinig en zonder begeerte.

Die zomer in Les Aravis was mijn enige dagelijkse contact met het verre gewoel van de wereld een verroest, plomp en ouderwets radiotoestel, dat ik 's morgens vroeg aanzette wanneer ik met een kom kwark met honing en bosbessen voor mijn neus op de komst van de werklieden zat te wachten.

Op die manier hoorde ik eind juli van het drama van Naiputo. Drama's zijn voor de geschiedenis wat woorden voor ideeën zijn, je weet nooit of ze deze vormgeven of alleen maar weerspiegelen. Omdat ik één keer geschokt ooggetuige van zo'n drama was geweest, wist ik dat vele afzonderlijke stemmen hun woede de vrije loop lieten en elk op hun eigen manier de tragedie aankondigden; maar helaas bestaat er een irritatiedrempel en zolang die niet is bereikt, worden de geluiden niet gehoord en de doden niet geteld. Ik klink misschien bitter, maar dat komt omdat ik er nog steeds van overtuigd ben dat het kwaad lange tijd te genezen is geweest; alleen heeft men er al die tijd niets aan gedaan.

Maar nu geef ik alweer toe aan die irritante neiging van een oude man om mijn tijdgenoten de les te lezen, terwijl ik me juist had voorgenomen om alleen maar de feiten te vertellen...

Om op de gebeurtenissen in Naiputo terug te komen: op 27 juli barstte er 's avonds een oproer uit in Motodi, een wijk die wordt bewoond door de gelijknamige bevolkingsgroep. De beschuldigingen die werden geuit, waren inmiddels dagelijkse kost geworden: 'sterilisatie', 'discriminatie', 'castratie', 'volkerenmoord' – ik zet ze alleen maar tussen aanhalingstekens om mijn terughoudendheid ten aanzien van deze ongenuanceerde kreten te benadrukken, maar het is slechts de terughoudendheid van een toeschouwer die de zaak op veilige afstand kon gadeslaan; in Naiputo klonk ieder woord als het gebrul van wilde beesten.

Wat ik van de woede van de dorpelingen aan de oever

van de Nataval had waargenomen, was nog schuchter en goedmoedig en alleen maar gericht tegen de krakkemikkige gevel van een plattelandsziekenhuisje. Hoe kon die korte, onbeduidende ervaring mij inzicht geven in wat zich in Naiputo afspeelde? Kan een bijensteek in een nieuwsgierige vinger een goed idee geven van de razernij die binnen in de verstoorde bijenkorf woedt?

Men zegt dat de woedende menigte vanuit talloze straatjes tegelijk opdook en samenstroomde naar het centrum van de hoofdstad, waarbij alles kort en klein werd geslagen en huizen, winkelgalerijen, banken en ambassades onderweg in brand werden gestoken.

In de omgeving van het presidentiële paleis openden dodelijk verschrikte soldaten het vuur op de massa, de oproerlingen werden met honderden tegelijk neergeschoten, maar anderen stroomden via zijstraten verder, klommen over de muur van het paleis en wisten het kleine hek, de zogenaamde 'hoveniersingang' open te breken. De woedende Motodi's drongen erdoorheen. Gewapend met stokken, messen en een paar pistolen en geweren stormden ze weldra alle zalen van het paleis binnen; het staatshoofd, dat net een receptie gaf, werd samen met zijn gezin, zijn naaste medewerkers en het merendeel van zijn gasten afgeslacht. Nog voor het aanbreken van de dag waren het gebouw van de staatsradio en -televisie, het pas geopende kantoor voor internationaal post- en telefoonverkeer en de meeste openbare gebouwen geplunderd en in brand gestoken.

Zodra dit nieuws zich had verspreid, viel het leger uiteen en haastte iedere officier, onderofficier of soldaat zich naar het grondgebied van zijn eigen bevolkingsgroep, de enige plek waar hij zich veilig kon voelen. Naiputo is een dambord van minuscule getto's; daar gingen de moordpartijen onverbiddelijk door en sloegen van lieverlede over naar de rest van het land.

Wat de gemoederen van de buitenwereld bezighield, was dat duizenden toeristen van allerlei nationaliteiten over het hele land verspreid waren; een paar honderd, zo zei men, hadden zich in een groot hotel in het centrum verzameld. Hoe kon men hen te hulp komen? Het openbaar gezag bestond eigenlijk niet meer, de oproerpolitie had zich in rivaliserende benden opgesplitst of, om de wrede uitdrukking van een toenmalige commentator te gebruiken, 'was op zijn primitieve instincten teruggevallen'. De vliegvelden waren gesloten, de verbindingen met de rest van de wereld waren volledig verbroken en naar alle waarschijnlijkheid waren de meeste buitenlandse ambassades bestormd.

De kanselarijen zwegen als het graf. De hoofdsteden beraadden zich met elkaar over de stappen die moesten worden genomen.

Ingrijpen? Maar waar in deze immense vuurzee? En met wat voor middelen? En tegen wie?

Waarschuwingen uiten? Maar welke bewindslieden zaten nog in het zadel of waren nog in leven om die in acht te nemen?

Afwachten en gadeslaan? Maar ieder verloren uur kon de dood van honderden buitenlanders betekenen...

Natuurlijk dacht ieder land het eerst aan zijn eigen onderdanen. Dat is geen kritiek, ik constateer slechts dat zowel op het noordelijk als op het zuidelijk halfrond men zich allereerst zorgen maakt om het lot van de eigen bevolkingsgroep, zo is het nu eenmaal, ik zal niemand daarop aanvallen. Wat heb ikzelf trouwens als eerste gedaan toen ik het nieuws hoorde? Ik heb me gehaast om Clarence bij haar ouders in Sète te bellen en me ervan te verzekeren dat mijn geliefde journaliste niet het onzinnige plan koesterde deze slachtpartij van dichtbij te gaan bekijken!

T

Hoe komt het dat van alle bloedige omwentelingen die de zuidelijke landen de afgelopen decennia hebben meegemaakt, het drama van Naiputo eruit springt als het keerpunt, het 'Sarajevo van de nieuwe eeuw' om met een hedendaagse historicus te spreken?

De plotselinge en onverwachte ondergang van elk gezag, de uitbarsting van geweld, de openlijke vijandigheid ten aanzien van het Noorden en alles wat het Noorden vertegenwoordigt of symboliseert, het was – zoals men gemakkelijk zal begrijpen – allemaal even aangrijpend en verwarrend, zowel voor het publiek als voor de autoriteiten. Maar nog erger was dat de bestanddelen voor het drama allemaal, zonder uitzondering en met evenveel kansen om te ontaarden in wreedheden en onvoorspelbare krankzinnigheid, in tien, nee twintig, nee honderd andere Naiputo's verspreid over de wereld aanwezig waren!

Overal had de eerder genoemde sterilisatie een verwoestende uitwerking gehad, overal had men de voorboden van de hevige uitbarstingen kunnen waarnemen, overal nam duidelijk dezelfde verbittering tegen het Noorden en zijn 'collaborateurs' toe. Dit ging gepaard met beschuldigingen die een onpartijdige waarnemer niet overtuigend zou hebben gevonden, maar een menigte laat zich niet overtuigen, die laat zich ophitsen: de razernij was gerechtvaardigd en er waren schijnbare bewijzen, dat was genoeg. En dat is inderdaad genoeg geweest.

Het zou onjuist zijn om er niet bij te vermelden dat personen als Foulbot en zijn kornuiten niets anders hebben gedaan dan een situatie die al tijden onherstelbaar verziekt was, alleen nog maar verergeren; zij hebben armoede niet uitgevonden, noch corruptie, noch willekeur, noch de ontelbare discriminerende maatregelen; zij hebben die 'horizontale breuklijn' tussen Noord en Zuid niet eigenhandig gegraven; misschien waren deze tovenaarsleerlingen wel op zoek naar een remedie tegen al die ellende, maar hun uitvinding was het ontbrekende lont in het kruitvat.

Ik ben me ervan bewust dat ik, door de vergelijking met Sarajevo te citeren, zelf een gebruikelijke en misleidende gedachtegang heb hernomen. Wie over een oorlog wil vertellen, ziet zich genoodzaakt aan te geven op welke datum de vijandelijkheden zijn begonnen en welke onherstelbare handeling de aanleiding is geweest. Maar ik, die mij liever beweeg op het terrein van mijn wetenschap dan op dat van de geschiedenis, heb niet veel aan zulke verbanden om de dingen te kunnen begrijpen. Ik heb de neiging te denken dat ernstige omwentelingen lange tijd onderhuids broeien. Net als grote rampen en geniepige epidemieën. Die ontstaan niet, die breken uit. Zo ook oorlogen.

Ja – waarom zou ik het ontkennen – ik denk weer aan insectenlarven. Dat is de wereld die mij vertrouwd is, alleen daar vind ik mijn aanknopingspunten, mijn zeldzame zekerheden: de monsters van vandaag zijn eergisteren geboren, maar hoeveel mensen kunnen onder hun masker hun ware imago zien? In de weerzinwekkende werkelijkheid van de eeuw waarin ik oud ben geworden, was vijftig of tachtig jaar geleden niets ondenkbaar, onvoorspelbaar, onvermijdelijk; toch is er niets bedacht, niets voorspeld, niets vermeden.

Maar wat heeft het voor zin om de keten van causaliteit tot aan zijn beginpunt terug te volgen? Wat heeft het voor zin klaarblijkelijke logica tegen te spreken? Ik kan beter een overzicht van de verwikkelingen geven.

Na drie dagen onzekerheid werden de gruwelijkste geruchten bevestigd: ja, het bloedbad ging door, niet alleen in Naiputo maar in het hele land, te vuur en te zwaard; ja, honderden buitenlanders waren dood, diplomaten, toeristen, uitgezonden werknemers en handelsreizigers; en nee, niets wees erop dat de orde weldra zou zijn hersteld. 'De schuldigen zullen worden gestraft', verklaarde men in Washington, Londen, Berlijn, Moskou, Parijs en elders; maar de schuldigen moesten nog wel een gezicht en een naam krijgen.

Men ging zelfs terugverlangen naar de tijd dat het Noorden in tweeën was verdeeld, toen men de bescherming – en de wapens en de ideologie – van de ene grootmacht zocht om de andere grootmacht te kunnen aanvallen.

Want wat de gebeurtenissen in Naiputo zou maken tot het afschuwelijke drama dat in onze herinnering zou voortleven, waren niet zozeer de details over de slachtpartijen, zelfs niet eens de beelden en getuigenissen die beetje bij beetje naar de buitenwereld uitlekten, maar vooral die hulpeloze indruk die de hele wereld maakte, alsof ze geen bakens meer had om op te zeilen, alsof de geschiedenis een onbegrijpelijke taal was gaan spreken, een taal uit een andere tijd die weer tot leven was gewekt, of die van een andere planeet op aarde was geland.

Nu kan ik dat verschijnsel iets beter begrijpen. Wanneer een bevolking denkt dat ze in haar voortbestaan wordt bedreigd, zie je soms hoe alle sociale regels die haar gedrag doorgaans bepalen, in één klap overboord worden gezet. Hoeveel gemeenschappen en stammen voelden zich toen niet met uitroeiing bedreigd! Wat voor versperringen konden er worden opgeworpen om hun waanzin te beteugelen?

Naiputo was slechts een etappe van een lange lijdensweg.

Nog maar nauwelijks was er een schijnbare orde hersteld en was iedere etnische groep binnen zijn eigen grondgebied opgesloten, of er braken in andere streken nieuwe drama's uit volgens hetzelfde bloedige patroon. De historici hebben het tegenwoordig over het 'syndroom van Naiputo'; toentertijd had men het over 'besmetting', maar dat is niet het juiste woord. Wanneer de eitjes van dezelfde schorpioen de een na de ander uitkomen, kan men in strikte zin niet van besmetting spreken. Maar het leed geen twijfel dat er een imitatieverschijnsel aan de gang was dat Gulliver beslist zou zijn opgevallen als hij in onze tijd had geleefd: als je op een miljard beeldbuizen ziet hoe een Stomppunter bezig is een Spitspunter af te slachten, zullen alle Spitspunters op aarde zich bedreigd voelen en zullen veel Stomppunters ontdekken dat ze een moorddadig karakter hebben.

Kennen de deskundigen bij pyromanen niet datzelfde verschijnsel van imitatiegedrag, dat door de media zo wordt aangewakkerd? Het beeld van die menigten die om de dood van de 'sterilisators' riepen, moest zijn weerslag wel hebben op de bevolkingsgroepen die door hetzelfde kwaad waren getroffen.

Wie was er na Naiputo aan de beurt? Heldere geesten en zwartkijkers zagen zo'n beetje overal 'symptomen', 'kenmerken', 'voorboden' en 'voortekenen'. Als je hen moest geloven, zouden weinig landen gespaard blijven.

Een poosje zorgde dit drama voor een verwijdering tussen Clarence en mijzelf. We hadden dezelfde kijk op de gevaren, maar zij putte daar nieuwe redenen uit om te vechten terwijl ik meer dan ooit haast had om mijn leven als onderzoeker weer op te pakken. Toen het zin had om wat te zeggen, had ik mijn mond opengedaan. Toen ik nog iets zinnigs kon doen, was ik op de barricaden geklommen. Nu leefden we echter in een krankzinnige tijd waar ik slechts een indringer was, een ouderwetse verschijning, een overblijfsel van vroeger, iemand die nog in het verleden leefde – wat had het voor zin om mezelf voor te gek te houden? Waarom zou ik doen alsof ik me tegen de uitbarsting van haat verzette, als de machtigste personen op aarde blijk gaven van hun machteloosheid?

Ik volgde de stem van mijn hart en Clarence volgde haar eigen stem. Ik bewonderde haar, zij verweet me niets, we voerden geen vinnige discussies, maar hier scheidden zich onze wegen.

Zij had zich in haar hoofd gehaald om in de streken waar de grootste onrust heerste 'comités van wijzen' op te richten die deel uitmaakten van het Netwerk en die, door hun invloed op de publieke opinie en de bewindslieden, door het respect dat ze bij iedereen afdwongen, een 'versperring' zouden opwerpen waardoor het toenemende geweld moest worden gestremd. Vanwege die wereldomspannende taak reisde Clarence onophoudelijk de continenten af, Parijs was in het beste geval slechts een frequente tussenstop voor haar.

Ik moest mij in diezelfde periode ook verplaatsen, maar dan op een heel ander vlak, wat in de ogen van de huidige lezer waarschijnlijk lachwekkend overkomt maar van mij een constant aanpassingsvermogen verlangde.

Toen ik de directeur van het museum had bevestigd dat mijn besluit vaststond en dat ik weer in het 'huis' wilde worden opgenomen, had hij me opnieuw gezegd dat ik nog altijd welkom was, maar eraan toegevoegd, zonder de indruk te geven een voorwaarde te stellen, dat het hem en mijn collega's goed zou uitkomen als ik me een beetje zou willen omscholen: de vraag was of ik, in plaats van me met kevers bezig te houden, het wellicht goed zou vinden om voor een of twee jaar leiding te geven aan een team dat onderzoek deed naar 'schubvleugeligen'.

'Vlinders?' Mijn eerste reactie was verbaasd en enigszins minachtend. Ik ben niet ongevoeliger dan een ander voor de schoonheid van deze wezens, voor de elegantie waarmee ze zich voortbewegen; ze kunnen bij een bepaalde lichtval zelfs een zekere pracht uitstralen. Het was alleen zo dat ik me altijd liever had beziggehouden met insecten waarvan de schoonheid voor het blote oog minder duidelijk waarneembaar was.

'Ja, vlinders', herhaalde de directeur, en uit zijn mond net zozeer als uit de mijne klonk deze gewone term als een Bargoens woord, verplicht vergezeld van een verachtelijk kuchje. 'Ik stel het je voor omdat er een vacature is, maar ik zal niet aandringen, want ik weet dat jongere mensen dan jij en ik zouden aarzelen om op die manier van hun favoriete onderwerp af te stappen.' Hij drong niet aan, maar zonder aan te dringen daagde hij me discreet uit om me op mijn reeds gevorderde leeftijd nog op een nieuw onderzoeksgebied te storten. 'Ik weet dat je op je dertigste al een autoriteit op het gebied van kevers was en dat je dat nog steeds bent, ondanks de jaren dat je je werk hebt onderbroken. Je hoeft maar te kikken en ik zorg dat je die afdeling weer krijgt.' Degene die daar tijdens mijn afwezigheid de leiding had gehad, zou vast en zeker bereid zijn om plaats te maken, voegde hij eraan toe op een toon die zo min mogelijk overtuigend klonk.

Ik had de boodschap begrepen. 'Vooruit dan maar, dan worden het vlinders!' Ik wilde niet dat ik door mijn terugkeer mensen van hun plaats zou stoten. En bovendien gaf deze uitdaging me een stimulans. Ik voelde me uitstekend in staat nieuwe wegen te verkennen en ik stond te trappelen om dat te bewijzen.

Laten we niet overdrijven, zult u me zeggen, ik veranderde niet van beroep, zelfs niet van vakgebied. Ik bleef bij de insecten. Maar tussen een scarabee en een astyanax bestaat ongeveer net zoveel gelijkenis als tussen een adelaar en een chimpansee. Tijdens mijn opleiding tot entomoloog had ik weliswaar alle categorieën en subcategorieën bestudeerd, zowel de schubvleugeligen als de tweevleugeligen, de grootvleugeligen of de *apocrita*, maar dat was slechts in vogelvlucht geweest en bovendien jaren geleden. En trouwens, zoals ik al eens heb gezegd, met mijn driehonderdzestigduizend soorten kevers had ik genoeg om handen! Als dat het enige is, zei ik tegen mezelf, zal ik mezelf omscholen, al moet ik daarvoor opnieuw in alle klassieke studieboeken sinds Linnaeus duiken.

Op die manier maakte ik tijdens het lezen toevallig kennis met de *urania*. Ongetwijfeld was deze soort mij tijdens een college al eens genoemd, want de naam kwam me niet onbekend voor, maar ik had geen flauw idee hoe die vlinder eruitzag en wat zijn gewoonten waren.

De urania is zo groot als een kinderhand, met metaalgroene, glanzend zwarte en soms ook wel oranjerode strepen en op het achterlijf een witte rand; hij komt voor in diverse streken op aarde, variërend van de Stille Zuidzee tot Madagaskar, van India tot het Amazonegebied. De soort die mijn speciale belangstelling heeft gewekt, staat bekend onder de naam *urania ripheus* en wordt met name in de tropische gebieden van Amerika aangetroffen.

Geleerden die zich in deze soort hebben verdiept, hebben een verbazingwekkend en spectaculair verschijnsel kunnen waarnemen: op bepaalde dagen van het jaar komen deze vlinders met tienduizenden bij elkaar op plekken waar het bos aan de zee grenst; dan vliegen ze recht vooruit, over een afstand van honderden zeemijlen, totdat ze, bij gebrek aan een eiland om neer te strijken, uitgeput in zee vallen en verdrinken.

Omdat sommige wijfjes hun eitjes vóór deze migratie in het bos leggen, is het voortbestaan van de soort verzekerd, maar het merendeel van hen vliegt weg terwijl ze de eitjes nog in zich dragen en sleuren zo hun nakomelingen mee in deze collectieve zelfmoord.

Vanaf het moment dat ik het verslag van de eerste waarnemingen onder ogen kreeg, werd ik gefascineerd door de vlucht van de urania. Ik vroeg me af of deze reis naar het iets met een soort 'defect' in het overlevingsinstinct te maken had, een genetische storing, een tragische 'transmissiefout' in de codetaal die deze migratie leek te sturen. Er waren talloze hypothesen aan te voeren.

Gezegend het moment in het bestaan van de onderzoeker waarop hij een nieuwe passie ontdekt. In die fase van mijn loopbaan had ik dat nodig. Ik was algauw zo bezeten van mijn onderwerp dat het me geen moeite kostte om het groepje van vijftien studenten die ik bij hun onderzoek begeleidde, ervan te overtuigen dat ze een deel van hun tijd aan de urania moesten wijden. Zonder hen om de tuin te willen leiden spiegelde ik hen de mogelijkheid voor van een expeditie naar Costa Rica, maar het lukte me niet om genoeg geld bij elkaar te krijgen voor een echte studiereis. Ook al had ik dat probleem opgelost, dan nog vraag ik me af of ik het over mijn hart zou hebben kunnen verkrijgen om Parijs – anders gezegd Béatrice – te verlaten voor een periode van een paar maanden die een dergelijk onderzoek zou hebben vereist, terwijl Clarence al zo vaak afwezig was.

Ik heb er nog wel eens spijt van dat ik deze reis niet heb gemaakt. Maar met het klimmen der jaren troost ik me met de gedachte dat het ter plaatse observeren leerzaam maar saai zou zijn geweest en waarschijnlijk niets meer zou hebben toegevoegd aan de dingen die we al wisten. Het was volstrekt begrijpelijk en gerechtvaardigd dat mijn onderzoeksteam voortborduurde op waarnemingen van anderen, om die te vergelijken en een poging te doen ze te verklaren.

We zijn erin geslaagd een aantal hypothesen te formuleren die zijn opgenomen in een monografie, die ik door de omstandigheden niet heb kunnen publiceren en die daarom nog in mijn bureaula ligt. In die monografie voer ik aan dat het gedrag van de urania niet voortkomt uit een gebrekkig overlevingsinstinct, maar juist uit een overgebleven oerreactie waardoor deze insecten worden geleid naar een plaats waar ze zich vroeger plachten voort te planten, misschien een verdwenen eiland; vanuit deze optiek zou hun schijnbare zelfmoord een automatisme zijn, veroorzaakt door een gebrekkige aanpassing van hun overlevingsinstinct aan de nieuwe levensomstandigheden. Deze ideeën hadden mijn studenten wel aangesproken, maar sommige collega's hadden zich sceptisch betoond over de wijze waarop ik ze had geformuleerd.

De eerste twee jaar van mijn hervonden wetenschappelijke carrière waren grotendeels gewijd aan de urania. De rest van de tijd bracht ik door in Les Aravis; soms ging Béatrice met me mee en hielp me met het opknappen van het huis. Het begon ergens op te lijken en kreeg een eigen karakter, zij het met vrij primitief comfort; de enige concessie aan moderne apparatuur was een handig systeem waarmee je op afstand de verwarming kon aanzetten om de onplezierig ervaring te voorkomen dat je in een steenkoud huis aankwam. Ik ging er minstens eens in de twee weken naartoe, zelfs als de wegen met sneeuw waren bedekt, kon dat me er niet van weerhouden.

Clarence was er nog nooit naartoe gegaan, maar we hadden het plan opgevat om er in de zomer met z'n drieën een maand door te brengen; een rustige maand waarin we een huiselijk, honkvast bestaan zouden leiden en konden bijkomen. Die woorden wekten bij mijn partner een zoet verlangen op, dat ze echter de kop indrukte. Af en toe, wanneer we in het donker naast elkaar in bed lagen, bekende ze dat ze het eigenlijk beu was, maar ze had er nu eenmaal voor gekozen om een deel van een raderwerk te zijn en vond dat ze niet meer kon stoppen, zelfs niet voor korte tijd. Voor geen goud zou ze hebben gewild dat haar strijd door zwakheid zou worden ondermijnd. Toch had ik haar deze belofte voor een maand van rust weten te ontfutselen; daarbij had ik onder andere als argument aangevoerd dat onze dochter weldra geen zin meer zou hebben om de vakantie met haar 'ouwelui' door te brengen en dat Clarence als moeder de plicht had om vaker bij haar te zijn, met haar te praten en naar haar te luisteren. Hoewel ik respect had voor de inzet van Clarence en voor de wijze waarop ze haar tijd indeelde, was ik vastbesloten alle druk uit te oefenen die nodig was om te zorgen dat ze haar belofte zou houden.

Ik hoefde mijn invloed helaas niet aan te wenden, noch mijn twijfelachtige overtuigingskracht. Een onbekende hand zou voor ons beslissen, uiterst doeltreffend en meedogenloos.

U

Clarence was vertrokken voor een rondreis door Afrika. Op het laatste moment had ze plotseling besloten onderweg een tussenstop van twee dagen in Naiputo te maken, maar ze had dit zorgvuldig voor mij geheimgehouden. Weliswaar was er al maanden niet meer over slachtpartijen bericht, maar de toestand bleef er onzeker, instabiel en 'ongrijpbaar'.

Mijn partner wilde de banden met dat land weer aanknopen en het comité van het Netwerk der wijzen dat daar was opgericht maar waar niemand naar wilde luisteren, nieuw leven inblazen; tegelijkertijd hoopte ze een aantal mensen terug te zien die ze op voorgaande reizen had leren kennen, met name Nancy Uhuru, de eigenares van de Mansion, die tijdens ons verblijf twaalf jaar daarvoor een vriendin van haar was geworden.

Toen ze op het vliegveld aankwam, waar alles normaal leek, zij het dat er alleen maar bedelaars rondliepen, moest ze tot haar verbazing aan de piepjonge taxichauffeur uitleggen waar Uhuru Mansion lag. Op dat moment had ze al argwaan moeten krijgen. En helemaal toen de jongeman haar uitlegde dát de weg erheen nauwelijks meer werd gebruikt.

De taxi wist tot op twee minuten rijden van het doel te komen, maar werd toen staande gehouden door mannen in uniform; de chauffeur werd gedwongen om halt te houden bij een eenvoudige barricade bestaande uit een dikke tak, een opengereten ton, een paar opgestapelde stenen en vooral mitrailleurs in de aanslag. Het ging waarschijnlijk om een van die soldatenbenden die aan het plunderen waren geslagen en die het hele land teisterden. De buitenlandse pers zei dat ze niet meer in de buurt van de hoofdstad opereerden, maar daar klopte duidelijk niets van.

Clarence moest uitstappen. Toevalligerwijs behoorde de taxichauffeur tot dezelfde bevolkingsgroep als deze boeven; hij mocht zijn auto houden en alleen de bagage van zijn passagier werd 'geconfisqueerd'. Toen zij protesteerde, haar stem verhief, dreigementen uitte en zelfs zover ging dat ze een van de aanvallers haar handtas ontrukte waar haar paspoort, geld, sleutels en papieren in zaten, kreeg ze met een geweerkolf een klap op haar achterhoofd waardoor ze bewusteloos neerviel.

De taxichauffeur sleepte haar naar de auto en wist na eindeloos geduldig praten gedaan te krijgen dat hij mocht doorrijden.

Gelukkig was Nancy Uhuru aanwezig, nog altijd even gezet en gezellig, ondanks de vervallen staat van haar Mansion waar natuurlijk al sinds tijden geen enkele gast meer had durven komen. Ze liet Clarence naar een ziekenhuis van het Rode Kruis brengen, waar werd vastgesteld dat ze ernstig schedelletsel had opgelopen.

Toen het ongeluk gebeurd was, werd Nancy zo in beslag genomen door het lot en de verzorging van het slachtoffer dat ze geen contact met mij had opgenomen; bovendien was ze mijn telefoonnummer kwijtgeraakt en had Clarence niets meer bij zich waarop een adres had kunnen staan.

Ik had dus vijf dagen lang mijn gewone dagelijkse bezigheden uitgeoefend zonder ook maar iets te vermoeden of ongerust te zijn, te meer daar mijn partner wel vaker een poosje wegbleef zonder iets van zich te laten horen.

Maar toen stond er een boodschap op mijn antwoordapparaat van het hoofdkantoor van het Rode Kruis in Genève, met alleen een telefoonnummer en het verzoek of ik zo spoedig mogelijk wilde terugbellen.

Wat ik het allerergste heb gevonden? Niet het moment waarop ik hoorde dat Clarence het slachtoffer was geworden van een aanval en dat ze er ernstig aan toe was. Nee, zodra ik de boodschap op mijn antwoordapparaat had afgeluisterd, vreesde ik al dat er een ongeluk was gebeurd, en vanaf dat moment prevelden mijn lippen koortsachtig dat ene zinnetje: 'Als ze maar leeft!' Het ergste was ook niet toen ik haar in bed zag liggen, nog altijd buiten bewustzijn, als een mummie 'ingezwachteld', omringd door piepende apparaten met flikkerende lichtjes. Nee, het ergste ogenblik kwam nadat ik het nummer in Genève had gedraaid en de telefoon daar vier keer was overgegaan, toen ik iemand de hoorn hoorde opnemen en, in afwachting van het vonnis, de lettergrepen van mijn naam moest uitspreken.

'Ik moet u een ernstig bericht vertellen, maar de persoon om wie het gaat, leeft nog en haar toestand is stabiel. Bent u de partner van Clarence...'

Ze leeft nog. Ze leeft nog. Dat was alles waarom ik had gebeden. De stem vertelde me in een paar woorden wat haar was overkomen en wat er tot dan toe met haar was gedaan. Men was van plan om haar drie dagen later per vliegtuig naar Parijs te laten terugbrengen.

'Als het nog langer zou hebben geduurd, hadden we u voorgesteld om hierheen te komen.'

De man die tegen me sprak, was duidelijk gewend om met naaste familieleden van slachtoffers van ongelukken om te gaan, hij sprak op een ernstige toon die absoluut niet de indruk wekte dat hij mij op goedkope wijze wilde geruststellen, en die daardoor juist een kalmerende invloed op me had. Hij liep vooruit op de verzoeken die ik hem misschien zou hebben gedaan, omzeilde ze en slaagde er uiteindelijk in mij zo lang mogelijk te laten wachten, zodat ik de helpers van het Rode Kruis niet voor de voeten zou komen lopen.

'Ik zou u willen voorstellen om elkaar in het ziekenhuis te treffen.'

Drie dagen later zat ik, met mijn hoofd in mijn handen en mijn ellebogen steunend op mijn benen, op een plastic stoel naast het bed van mijn bewusteloze vrouw. Naast mij een zwijgende Béatrice met bezorgde ogen die strak op het bed waren gericht, alsof ze langzaam maar zeker de ernst van de situatie tot zich liet doordringen.

De eerste dagen bleef ik daar, ongemakkelijk op mijn stoel heen en weer schuivend en ongeconcentreerd, terwijl er alsmaar beelden uit het verleden door mijn hoofd schoten. Vervolgens nam ik een boek mee. Van tijd tot tijd, als ik alleen was met Clarence, probeerde ik hardop tegen haar te praten en haar over haar toestand gerust te stellen; ik had gelezen dat zieken ook in coma nog konden horen en begrijpen wat er in hun omgeving werd gezegd, en dat, zelfs als ze zich daarvan niets meer herinnerden wanneer ze bij kennis kwamen, ze hieruit toch zo nu en dan moed hadden geput. Ik had het erover met de neuroloog die haar behandelde, hij probeerde mij niet echt uit de droom te helpen: 'Dat is mogelijk, wanneer de patiënt niet al te diep in coma is...' Maar in zijn boosaardige ogen las ik: 'Als het de patiënt niet helpt, kan het de naaste familieleden misschien goeddoen.'

Inderdaad waren Béatrice en ik gedurende die dagen veel kwetsbaarder dan Clarence. Ik moest toen denken aan iets wat Clarence tijdens een van onze eerste ontmoetingen had gezegd. Ik had haar net verteld dat wanneer je van iemand houdt, je het liefste vóór diegene deze wereld verlaat. Zij had op luchthartige toon vinnig geantwoord: 'Sterven is een egoïstische daad!' Was de toestand waarin ze zichzelf nu had gebracht dan minder egoïstisch? Ze zou van de zorgeloosheid van het coma naar de zorgeloosheid van de dood kunnen overgaan zonder een blik voor degene die van haar hield en die, wanneer zij er niet meer zou zijn, nooit meer dezelfde schik in het leven zou hebben; het leek me een tikje onhebbelijk om iemand op zo'n manier in de steek te laten.

Zoals u ziet had ik toen niet louter liefdevolle gedachten jegens Clarence. Ik nam het haar kwalijk dat ze zichzelf zo aan het gevaar had blootgesteld, ik was zelfs bozer op haar dan op die onbekende persoon die haar had neergeslagen. Die bestond in mijn ogen niet, die was nergens verantwoordelijk voor, hij maakte deel uit van die verwilderde lieden die met de dag in aantal toenamen en dat zouden blijven doen – zowel slachtoffers als beulen – monsters die waren voortgekomen uit de chaos en die de chaos zouden laten voortduren. Maar Clarence, wat voor excuus kon zij aanvoeren?

Het ene moment keek ik haar verwijtend aan om haar het volgende ogenblik met mijn ogen te koesteren en te beloven dat ik nooit meer van haar zijde zou wijken en al haar zwakheden met de mantel der liefde zou bedekken als ze voor mij in leven zou blijven.

Het ongeluk was half maart gebeurd, de veertiende om precies te zijn, en pas op 2 juni, in de middag, begonnen haar lippen voor het eerst weer te bewegen. Ze zei nog niets begrijpelijks, maar het was tenminste een teken dat ze opnieuw tot leven kwam. De artsen hadden me weliswaar heel gauw gerustgesteld over het belangrijkste, namelijk dat haar hersenen niet beschadigd schenen te zijn; we moesten rustig afwachten, ze zou beslist weer gaan bewegen, praten en opstaan. Maar voor mij waren dat alleen maar doekjes voor het bloeden; ik zat niet op de woorden van de doktoren te wachten, ik wachtte op die van Clarence.

Op diezelfde 2de juni – een dag die voor altijd gezegend zij – deed ze ook haar ogen weer open en ik kon goed zien dat er in dat ingezwachtelde hoofd nog steeds diezelfde intelligentie school waarvoor ik ooit was gevallen.

Vanaf dat moment kon ik elk uur zien hoe ze meer tot leven kwam; ik sprak eindeloos tegen haar, ze leek zonder vermoeidheid te luisteren, soms te glimlachen, nu eens instemmend te knikken, dan weer het hoofd te schudden; zelf sprak ze weinig en langzaam, maar na verloop van een paar dagen duidelijk genoeg om mij volledig gerust te stellen over haar geestelijke vermogens.

Ze zou nog lange tijd de gevolgen van haar ongeluk blijven voelen, alle jaren daarna zouden voor ons beiden een geduldige revalidatie zijn, een langzaam herstel. Maar in die tegenspoed hadden we ten slotte een geluk bij een ongeluk gezien: 'Terwijl anderen met het verstrijken der jaren aftakelen,' zei Clarence, 'krijg ik op mijn vijftigste het voorrecht dat alleen aan kinderen is voorbehouden, namelijk om stapje voor stapje vooruitgang te boeken, opnieuw te leren bewegen en plezier in het leven te hebben.'

Ze zei het met zo'n fris en stralend gezicht dat ze me uiteindelijk ervan overtuigde dat ieder mens een flinke val moet maken voordat hij aan de tweede helft van zijn leven begint. Niet alleen ieder mens afzonderlijk, maar alle menselijke gemeenschappen en ook het menselijk ras. Dat is misschien de prijs die je voor een tweede jeugd moet betalen.

V

In het twintigste levensjaar van Béatrice, terwijl Clarence vastgeklampt aan mijn arm haar ochtendwandeling van de ene naar de andere kant van de zitkamer maakte, hoorden we in een korte extra nieuwsuitzending het bericht van de dood van de heer en meester van Rimal, Abdan, 'de devote generaal' die de afgelopen zestien jaar als despoot over een van de rijkste landen van het zuidelijk halfrond, had geregeerd.

Een paar jaar eerder zou zo'n overlijdensbericht ons slechts een terechte zucht van verlichting hebben ontlokt; toen we nog jong waren, hadden we die euforische perioden meegemaakt waarin de ene moloch na de andere neerviel, als monsterlijke kegels waar we geamuseerd naar keken. Maar de tijd had ons veranderd, we hadden geleerd chaos meer te vrezen dan despotisme; er waren zoveel regimes gevallen en dat had zoveel wreedheid, zoveel regressie tot gevolg gehad, dat verandering op zich ons niet meer enthousiast kon maken en slogans ons niet meer konden verleiden. Het zou lachwekkend zijn om te vragen wie er nu eigenlijk oud werd, ik of de geschiedenis, vindt u ook niet? Maar het antwoord lijkt me nog altijd niet voor de hand te liggen.

Toen Abdan aan de macht kwam, had hij een einde gemaakt aan een door en door corrupte monarchie. Hij had vrijheid verkondigd, een republiek uitgeroepen, en de maagden die ontelbare malen waren verkracht, waren opnieuw maagd geworden. Wij wilden dat maar al te graag geloven en Abdan had het ons laten geloven. Toen hij kort nadat hij de touwtjes in handen had genomen een al te ambitieuze handlanger had laten fusilleren, hadden we de andere kant uitgekeken omdat we ervan overtuigd waren dat we zijn hele onderneming niet moesten veroordelen op grond van deze daad uit noodweer. Bovendien meenden we oprecht – maar we beseften toen nog niet wat de gevolgen van onze houding zouden zijn – dat we als zonen van het Noorden, als rijke, bevoorrechte mensen, voormalige kolonisatoren, niet het recht hadden om de volken uit het Zuiden te vertellen wat ze wel en niet mochten doen.

Nogmaals, we hadden absoluut niet door wat voor gevolgen onze houding zou hebben. Wij, dat wil zeggen ik, mijn generatie en de generaties voor en na ons, waren verontwaardigd als een lid van de oppositie in Oekraïne het zwijgen werd opgelegd, maar als een inwoner van Rimal in de gevangenis werd gegooid, kwamen we opeens weer voor de dag met vergeten begrippen als 'non-interventie'. Alsof de dekolonisatie bij Pontius Pilatus is begonnen. Misschien is op die manier die 'horizontale breuklijn' in onze hoofden ontstaan, die scheidslijn tussen verschillende morele waarden, of zoals een in de vergetelheid geraakte filosoof uit mijn kindertijd zou hebben gezegd, de scheidslijn tussen 'mensen en inboorlingen'. Juist in de tijd waarin apartheid werd teruggedrongen, werd het idee van een 'gescheiden ontwikkeling' overal op aarde gepropageerd, met aan de ene kant de beschaafde landen met hun burgers en instellingen, en aan de andere kant de 'thuislanden', een soort schilderachtige reservaten bestuurd volgens eigen zeden en gewoonten waaraan we ons moesten vergapen.

Ik herinner me een docent van de universiteit van Rimal te hebben ontmoet die zelfs met spijt begon terug te denken aan de tijd waarin men het nog had over de 'missie om beschaving te brengen'; toen nam men tenminste nog aan, zij het louter in theorie, dat de hele wereld voor beschaving vatbaar was. Veel schadelijker was volgens hem 'de mentaliteit die eruit bestaat te verkondigen dat de hele wereld per definitie en in dezelfde mate beschaafd is en dat alle waarden tegen elkaar opwegen, dat alles wat menselijk is ook menslievend is en dat iedereen daarom moet leven volgens de tradities van zijn stam'.

De jongeman verborg zijn woede achter een sluier van kille spot: 'Vroeger werden we op racistische gronden geminacht; tegenwoordig worden we op racistische gronden gerespecteerd. Men interesseert zich niet voor onze aspiraties, maar is vertederd door onze traagheid. De allerprimitiefste traditie, de onterendste verminking wordt "cultureel erfgoed". Ieder zijn eeuw!'

Dat was de mening van veel inwoners van Rimal, met name van de meest ontwikkelden onder hen. Abdan daarentegen was blij dat het specifieke karakter en de authentieke aard van zijn volk werden erkend; hij hulde zich in de wijde traditionele klederdracht van zijn land om duidelijk aan te geven dat hij van plan was het machtsspel te spelen volgens zijn eigen regels, waarmee zijn voorouders welwillend instemden. En wanneer hun duizend jaar oude stemmen soms verstomden, wist Abdan zichzelf tot buikspreker om te toveren waarbij hij niet schroomde onwaarheden te verkondigen.

Een tijdlang had hij deze trucjes kunnen volhouden. Zijn onderdanen waren volgzaam; en wij, mensen van het noordelijk halfrond, waren in zijn ban. Was hij corrupt? Leidde hij een verdorven bestaan achter de hoge muren van zijn paleis? Het kon zijn, maar op straat wist hij met stokslagen een collectieve eerbied af te dwingen. Had hij alle belangrijke baantjes onder zijn talrijke broers en neven verdeeld? In het Noorden zou men dat vriendjespolitiek hebben genoemd, maar nu het om het Zuiden ging, had men het over 'hechte familiebanden'. Veel begrippen moesten op die manier worden vertaald zodra ze de 'horizontale breuklijn' overschreden. Clarence had me daarop gewezen: een Europeaan die tegen een autoritair regime in opstand kwam, werd een 'dissident' genoemd, maar toen ze een keer in een artikel had gesproken over een 'Afrikaanse dissident', had de hoofdredacteur, die het een onjuiste term vond, dit vervangen door 'oproerkraaier' zonder het ook maar nodig te vinden met haar te overleggen, alsof het een correctie van een stijl- of typefout betrof. Evenzo werd een arbeider uit het Zuiden die in het Noorden was gaan wonen een 'gastarbeider' genoemd, terwijl een werknemer uit het Noorden die zich in het Zuiden vestigde een 'expat' heette. Een heel verschil!

Het is niet mijn bedoeling om hier een opsomming van voorbeelden te geven, ik wil alleen maar degenen die jonger zijn dan dertig jaar of die misschien zijn vergeten welke sfeer er toen heerste, eraan herinneren dat er een dik rookgordijn werd opgetrokken zodra er sprake was van onlusten in het Zuiden.

De opstand tegen het regime van Abdan was vlak voor dageraad begonnen. Officieren van de lijfwacht waren de harem van de generaal binnengedrongen en hadden hem en de echtgenote die met hem de nacht had doorgebracht, afgemaakt; tegelijkertijd hadden andere militairen het televisiestation overmeesterd om de dood te verkondigen van de 'trouweloze, afvallige, hypocriete tiran, knecht van het corrupte, onvruchtbaarheid verspreidende Westen', en om het volk op te roepen de opstand te steunen. Aan hun oproep werd onmiddellijk gehoor gegeven, waarschijnlijk beschikten ze over een machtige aanhang in de verschillende wijken. Eerst werden de mensen uit de naaste omgeving van de generaal aangevallen, leden van zijn clan en zijn handlangers; later op de dag, en zonder dat duidelijk was of het ging om een vervolg van dezelfde opstand of om een uit de hand gelopen situatie, werden de moderne gebouwen bestormd waarin de kantoren van buitenlandse bedrijven waren gevestigd. Vervolgens stootte men door naar de villawijken waar de buitenlanders en de rijken van Rimal woonden; dat ontaardde in een orgie van moordpartijen, verkrachtingen, martelingen en verwoestingen; er werd overigens veel meer verwoest dan geplunderd, volgens ooggetuigen die het hebben overleefd; de opstandelingen eisten of stalen niets, hun haat werd niet gehinderd door enige hebzucht.

Het is belangrijk om dat erbij te zeggen, want er werd toen gesproken – en ik lees dat nu nog wel eens in sommige niet al te nauwkeurige boeken – over een 'nieuw Naiputo'. Het is toch al te eenvoudig om elke plotselinge uitbarsting die in chaos ontaardt zo te benoemen. Er bestond tussen deze twee gebeurtenissen een wezenlijk verschil, waarop Emmanuel Liev in zijn toespraak in New York had gezinspeeld, en alleen degenen die nauw bij het Netwerk en de activiteiten ervan betrokken waren, hadden dat toen ingezien. Om het wat simpeler te stellen: de oproerlingen in Naiputo hadden nog wel vrouwen maar geen dochters meer, terwijl degenen die in Rimal in opstand waren gekomen, met name de rebellerende officieren, het gevoel hadden dat ze gedoemd waren hun leven lang zonder vrouwen, zonder kinderen en zonder gezin te moeten doorbrengen.

Waarom juist Rimal? Waarschijnlijk omdat in dit rijke en toch achtergebleven land de 'stof' en soortgelijke middelen al in een heel vroeg stadium en op grote schaal werden gebruikt. Nergens stond het geloof in de absolute superioriteit van de man zo buiten elke discussie, in geen ander zuidelijk land was de moderne technologie, hoofdzakelijk op het gebied van de medische wetenschap, zo toegankelijk. Door het ontbreken van elke morele of financiële barrière hadden de methoden voor selectieve geboorteregeling zich heel snel onder alle lagen van de bevolking verspreid, ook onder de nomaden. In Naiputo telde men tijdens het slechtste jaar nog één meisje op de vijf baby's die levend ter wereld kwamen; in Rimal was de verhouding een paar jaar achter elkaar minder dan één meisje op twintig jongens – dit is natuurlijk slechts een schatting, want Abdan was een van de eerste staatshoofden geweest die de publicatie en zelfs het verzamelen van statistische bevolkingsgegevens had verboden.

Onverantwoordelijkheid? Misdadige verblinding? Dergelijke woorden las men in de krant in de dagen na de val van de heer en meester van Rimal. Op dat punt verschilde hij echter in geen enkel opzicht van andere staatshoofden uit die tijd. Slechts een enkeling was in staat het gevaar onder ogen te zien van de vraagstukken die na vijftien of dertig jaar aan de orde zouden komen; de meesten lieten ze liever als giftige erfenis na aan degene die zo arrogant was om hen te willen opvolgen.

Overigens had iedereen gedacht dat Rimal niet betrokken zou raken bij de onlusten in het Zuiden. Men had het autoritaire bewind van Abdan zogenaamd verfoeid maar in stilte gezegend, gezien de gebeurtenissen die zich zo'n beetje overal afspeelden.

Een keer – zo'n jaar of vier voor de opstand, als ik me goed herinner – had een humanitaire organisatie vastgesteld dat er in Rimal in de loop van het voorgaande jaar achthonderdvijftig mensen wegens verkrachting waren terechtgesteld. Het antwoord van de despoot luidde dat dat overeenkomstig de wet van zijn land en de traditie van zijn volk was, en dat hij zich niet zou laten meesleuren op wegen die naar de ondergang leidden. Een betoog waarop een weerwoord steeds moeilijker te vinden was, vooral omdat we maar al te goed wisten dat verkrachting niet langer een laag individueel vergrijp was, maar de uiting van een universele agressiviteit waarvan eenieder de uitbarsting vreesde.

Misschien begrijpt u nu beter waarom Clarence en ik die ochtend in juli zo verbijsterd waren. Nog diezelfde avond en vooral de volgende ochtend, toen de verhalen over de moordpartijen bekend waren geworden, was er niet veel ruimte meer over voor twijfel en onzekerheid; we moesten ons helaas aansluiten bij de algemene indruk van de autoriteiten, de media en de mensen op straat die, terwijl ze hun scepsis uitten over de gevallen tiran en zijn methoden, toch met spijt terugdachten aan de tijd waarin corruptie, despotisme en schijnheiligheid hoogtij vierden, alsof dat een soort gouden eeuw was geweest.

De golf van razernij die Rimal overspoelde, had in al zijn weerzinwekkendheid en buitensporigheid iets episch. Ik wil misdaad met dit woord niet verheffen tot iets nobels of verwoestende waanzin met grootsheid sieren. Nee, ik probeer alleen maar uit te leggen dat de gebeurtenissen meteen vanaf het begin een apocalyptische betekenis kregen. Alsof er zich zojuist iets onherstelbaars had voltrokken, alsof de hele mensheid zich plotseling bewust werd van een nachtmerrie die zij zo goed mogelijk voor zichzelf had weten te verdoezelen. Er waren natuurlijk beelden die getuigden van de verschrikkingen, en het aantal doden, onder wie duizenden buitenlanders – zelfs regeringen die er prat op gingen niets te verbergen, durfden de cijfers niet te bevestigen. Maar vooral was er de indruk dat een deel van de wereld, het grootste en dichtstbevolkte deel, bezig was een verboden territorium te worden, een voorportaal van de onderwereld waar niemand zich meer zou kunnen wagen en waarmee weldra geen enkel contact meer mogelijk zou zijn.

En plotsklaps begon het Noorden te beseffen dat die 'onderkant van de aardbol' die het altijd had beschouwd als een blok aan het been, een wezenlijk deel van zichzelf was, en ineens begon het Noorden het verval van het Zuiden aan den lijve te voelen als een verminking, of erger nog, als een wegrottend lichaamsdeel.

W

Een schrale troost was dat de breuk in de wereld op mijn eigen gezin een bijzonder heilzaam effect had.

Tussen Clarence en Béatrice had ik nooit de minste verbondenheid bespeurd, trouwens ook geen vijandigheid of wrijving; ik had de indruk dat ze altijd vreemden voor elkaar zouden blijven. Ik deed mijn uiterste best om hen dichter bij elkaar te brengen, zo gauw ik er maar kans toe zag, probeerde ik een intiem, fluisterend, vertrouwelijk contact te bewerkstelligen… Vergeefse moeite, mijn gezin bleef een driehoek zonder basis; Clarence en ik, en Béatrice en ik vormden twee stellen die haaks op elkaar stonden, en dat, zoals ik al heb opgemerkt, nog vóór de geboorte van mijn dochter, toen ze alleen nog maar in gedachten bestond, als een verlangen dat ik meer koesterde dan mijn vrouw, die haar alleen maar droeg om aan mijn wens te voldoen.

Aan mij had Béatrice haar eerste kalverliefde opgebiecht. Ik was er zo geroerd, zo gevleid door geweest dat ik er geen seconde aan had gedacht om als vader te reageren. Als de rol van vader inhoudt dat je een passend antwoord moet geven, een zedenpreek moet afsteken, dan was dat een rol die door anderen was geschreven en niet voor mij was weggelegd; ik had het beter getroffen, want zij nam mij in vertrouwen, met twee tranen die op mijn overhemd werden geplengd, twee tranen die ik met de palm van mijn hand bedekte als om ze te beletten op te drogen.

Ik was ook degene wiens voorbeeld Béatrice had gevolgd toen ze haar studiekeuze maakte en biologie boven journalistiek verkoos.

Zo stonden de zaken er in huiselijke kring voor, toen het ongeluk van Clarence de gevestigde orde in één klap omverwierp. Zolang de moeder moeder was geweest en de dochter dochter, hadden ze een afstandelijke en in zekere zin stijve verhouding gehad. Het beeld dat ik uit alle macht probeerde op te roepen van een stralende vader en moeder die gearmd bij een wieg staan, was nooit werkelijkheid geworden; op het moment dat ik deze regels schrijf, staat voor mij op tafel een heel ander beeld in een fotolijstje: een vader en dochter gearmd bij een rolstoel. Dankzij die omkering van rollen waren we dichter tot elkaar gekomen: Béatrice was in een tedere moeder veranderd en Clarence in een flinke dochter; eindelijk vriendinnen.

Na zo'n lange aanloopperiode kon hun verhouding niet braaf blijven dobberen in kalm, rimpelloos water. Van meet af aan was ze onstuimig en onverzadigbaar, als de liefdesgevoelens van een trouwe zeeman. En vruchtbaar.

Toen ik een keer uit het museum thuiskwam, vond ik hen in een onverwachte opstelling: Clarence zat in haar leunstoel een stortvloed van zinnen te dicteren, terwijl Béatrice op de grond, als secretaris gehurkt voor het computerscherm, nauwgezet haar moeders proza intikte. Het zou een vertrouwd tafereel worden. Soms, wanneer mijn vrouw even zweeg, waagde onze dochter een vraag of een kritische opmerking. Dan volgde een verhitte discussie, werd het laatste stuk opnieuw doorgenomen en eensgezind gecorrigeerd. Zo kwam een gezamenlijk werk tot stand, het 'kind' van hun tweeën waarvan ik, in het beste geval, slechts de peetoom was.

Een ander dan ik zou zich bedreigd hebben gevoeld, verdrongen; zo ben ik niet, hun nieuwe vriendschap maakte me dolgelukkig. Ik sloeg hen gade; ik luisterde naar hen; als ik hen wilde onderbreken of hun aandacht wilde trekken, zei ik 'Meisjes!', verrukt dat ik hen zo, ondanks hun leeftijdsverschil, in één beschermend woord kon omvatten.

Toen hun artikelen als feuilleton in een vooraanstaand dagblad werden gepubliceerd, werden ze dankzij de actualiteit van het onderwerp door een uitgebreid, geïnteresseerd publiek gelezen.

Het uitgangspunt was niet nieuw: zowel samenlevingen als afzonderlijke individuen hebben een mannelijk bestanddeel dat agressie inhoudt, en een vrouwelijk bestanddeel dat op instandhouding is gericht. Sommige mannen hebben een overmaat aan mannelijke hormonen of een mannelijk chromosoom te veel; die mensen zijn soms intelligent, maar hun intelligentie wordt, naar men zegt, vertekend door een extreme agressiviteit en uit zich vaak in crimineel gedrag; in de registers van de rechtbanken zijn ongetwijfeld oneindig veel van dat soort gevallen te vinden. Zijn wij nu niet getuige van een soortgelijk verschijnsel, zo vroegen Clarence en Béatrice zich af, maar dan op wereldschaal? Hebben we, door toedoen van een aantal gewetenloze geleerden en ook doordat niemand deze 'horizontale breuklijn' heeft weten te vermijden, er niet voor gezorgd dat de situatie gigantisch uit de hand is gelopen, niet alleen voor gemeenschappen, etnische groepen en volkeren, maar misschien wel voor de hele mensheid?

Ik wil hier niet in discussie treden over de waarde van deze stelling, die niet zozeer stoelt op wetenschappelijke nauwkeurigheid als wel op de heldere en precieze wijze waarop zij de ontwikkeling volgde van de toenmalige gebeurtenissen die wij met onze verfijnde geest machteloos moesten gadeslaan. Zo zouden de volkeren in het Zuiden onder onze ogen zijn veranderd in mutanten, op geweld belust omdat elke kans op een normaal bestaan en op een toekomst hun was ontzegd. Dit gezichtspunt berustte niet alleen op een schijnwerkelijkheid. Iedereen had die vervormde, piramideachtige bevolkingsstatistieken kunnen bekijken, een wetenschappelijke weerspiegeling van de dagelijkse verschrikkingen; van Naiputo tot Rimal was ons geheugen inmiddels gemarkeerd door talloze episoden van rook en bloed; en iedereen vermoedde dat de nabije toekomst er net zo zou uitzien.

Wanneer je opeens met die afschuwelijke ellende wordt geconfronteerd, lijkt alles logisch, duidelijk, verwacht en onvermijdelijk. Ja, ontegenzeggelijk was alles voorspelbaar, meteen vanaf het moment waarop de 'horizontale breuklijn' was ontstaan, direct toen de geheimen van het leven in de handen van tovenaarsleerlingen waren gevallen. Al in de vorige eeuw waren de voortekenen van de chaos zichtbaar: steden die in verval raakten, staten die uiteenvielen, die absurde vlucht in het verleden, mensen die werden uitgesloten, mensen die werden opgesloten.

Oorzaak en gevolg, wat een geniale valse voorstelling van zaken, zult u me zeggen! Wie zou er, als er oneindig veel mogelijkheden zijn, op tijd hebben kunnen zien dat de wereld op een ramp afstevende? Dan zal ik u antwoorden dat ik mannen en vrouwen heb gekend die de geheimen van de wereld lazen als een open boek; sommigen van hen zijn gestorven, anderen zijn nog in leven en nog altijd warm ik me aan hun heilig vuur. Mannen en vrouwen die – ik heb het al eens gezegd – in staat zijn geweest in de 'larf' de contouren van het 'imago' te herkennen.

Maar nu gaat het me om dat 'imago', daar moet ik een paar alinea's lang mijn aandacht op richten. Net als ik kan iedereen tegenwoordig zien waarop de wereld is gaan lijken, niets van wat ik zou kunnen beschrijven is onbekend, niets zal de lezer verrassen; maar dat is nu eenmaal de absurde taak die ik mezelf heb gesteld als getuige, gerechtelijk kroniekschrijver en griffier van nabeschouwingen.

Degenen die, net als ik, de tijd hebben gekend waarin grenzen vervaagden, waarin de wereld door duizend verlichte wegen met alle uithoeken van zichzelf in verbinding stond, hoe zouden die op deze verbrokkelde planeet de weg moeten vinden? Nooit had ik kunnen denken dat die expansie zo tijdelijk van aard zou zijn, dat er zoveel muren zouden worden opgetrokken, onoverkomelijke obstakels, zowel op de wegen als in de geest van de mensen.

Het ene zuidelijke land na het andere heeft zich van de buitenwereld afgesloten, net als in een kampement waar 's nachts de vuren worden gedoofd. Alleen was het niet voor een korte slaap maar trad de duisternis voorgoed in en wachtten de oogleden niet meer op het ochtendgloren.

De vorige eeuw heeft ons wel honderd voorbeelden laten zien van samenlevingen die opeens aan krankzinnigheid ten onder gingen. Men toonde wel het gepaste medeleven, maar men nam het voor lief, de wereld tolde door in een draaikolk van razernij, jammer voor de achterblijvers die bleven steken of buiten adem raakten, de geschiedenis had haast en kon niet bij elke narigheid blijven stilstaan. Maar waar ging de geschiedenis dan heen? Wat was haar bestemming? En wanneer had ze die bereikt?

Wie had die achteruitgang durven voorspellen? Achteruitgang, een naargeestig, bespottelijk, ketters, ongepast idee. Men blijft de geschiedenis hardnekkig beschouwen als een rivier die door een vlak landschap stroomt en in heuvelachtig terrein wat stroomversnellingen en watervallen krijgt. En wat als de rivierbedding niet van tevoren was gegraven? Wat als de rivier niet bij de zee zou kunnen komen en in de woestijn zou verdwalen, het spoor bijster zou raken in een moeras van stilstaand water?

Zwartkijkerij? Ik hoop alleen maar dat mijn Béatrice oud zal kunnen worden in een wereld die zich hersteld heeft, en dat in de toekomst deze verdoemde decennia definitief een afgesloten hoofdstuk zullen zijn.

Nog voordat de gebeurtenissen in Rimal plaatsvonden, raadden sommige noordelijke landen hun inwoners al af om zich naar de risicogebieden te begeven. Een 'understatement' dat in principe alleen maar werd gebruikt voor zones zoals Naiputo, die al een uitbarsting van geweld te verduren hadden gekregen.

Rimal had natuurlijk nooit op die lijsten gestaan, aangezien generaal Abdan een einde had gemaakt aan de onveiligheid in zijn land – nietwaar? – en het geweld de kop had ingedrukt. Niemand zou hem de belediging hebben willen aandoen om zijn land als risicogebied te bestempelen. Zijn plotselinge val en het lot van de buitenlanders die onder zijn bescherming leefden, betekenden dat voortaan geen enkele bestemming meer veilig was zodra men de breedtegraad van de hel had overschreden.

Zonder verder rekening te houden met diplomatieke gevoeligheden begon men de families die in het Zuiden woonden met tienduizenden tegelijk te evacueren. Hooguit een paar ambassades hielden nog vast aan een laatste onderscheid tussen landen waar het geweld was 'uitgebroken' en landen waar het alleen nog maar 'latent' was. Deze nuanceverschillen verdwenen echter in de storm van 'redde wie zich redden kan' die over de wereld raasde.

Een zeer begrijpelijke reactie, maar daardoor kwam het debacle wel in een stroomversnelling. Hoe zou de plaatselijke bevolking haar normale dagelijkse leven hebben kunnen vervolgen, terwijl men om zich heen zag hoe buitenlanders bij duizenden tegelijk in allerijl hun koffers pakten en op de vliegvelden samendromden? In verschillende landen waar tot dan toe haast niets aan de hand was geweest, ontstond een paniektoestand; de uittocht van de buitenlanders werd gevolgd door die van de plaatselijke elites en zelfs van mensen uit het volk die bang waren voor de toekomst.

Nu nog, terwijl we veel meer weten over de voorgeschiedenis van de gebeurtenissen die de wereld hebben getroffen, zijn er ik weet niet hoeveel mensen die weigeren om de bevolkingen van de zuidelijke landen als slachtoffers te beschouwen, en die slechts twee beelden van hen voor ogen hebben: ten eerste heel dicht, te dicht bij ons die stroom van migranten, en ten tweede in de verte die waanzinnige horden die verwoed bezig zijn een wereld die zij niet begrijpen te vernietigen maar die in de eerste plaats zichzelf straffen. Op een dag zal een Tribunaal van de Geschiedenis misschien achteraf vonnissen vellen voor 'toekomstberoving'.

Hier in het Noorden raakt al die ellende ons slechts zijdelings, maar laten we af en toe eens denken aan diegenen die er direct onder te lijden hebben. Laten we denken aan die landen waar niemand zich meer durft te wagen, landen afgesloten van de buitenwereld, verbrokkeld in stammen die elkaar in de algehele ontreddering te lijf gaan, in de steek gelaten door de besten onder hun zonen, overlevend als onkruid tussen de ruïnes, met in de wijde omtrek louter uitzicht op andere ruïnes.

In Rimal, en op ruim twee derde van de aardbol, maakt de tijd voortaan pas op de plaats. Je ziet er geen vliegtuigen meer landen of opstijgen, hooguit af en toe een krakkemikkige bommenwerper; de wegen, lijnen die zich tot in het oneindige uitstrekten en die generaal Abdan voor veel geld had laten aanleggen alsof hij de woestijn daarmee wilde bezweren, zijn in een paar maanden tijd weggevaagd, bedolven onder wraakzuchtig zand; de mijnen zijn weer onderaardse spelonken geworden, machines roesten langzaam maar zeker weg in de vergetelheid; in de moderne stadswijken staan nog flatgebouwen, maar ze zijn zwartgeblakerd, gehavend, het merendeel is opengereten, cynische monumenten van een eendagsbeschaving. Een millennium is voorbij, zeggen de stenen, weer een.

Uit Rimal, Naiputo, het hele Nabije of Verre Oosten, uit Afrika en ook uit de krotten van de Nieuwe Wereld vluchten de mensen nog altijd wanneer ze maar de kans krijgen, per boot of op de rug van een muilezel. Zij zijn de laatste dragers van oude beschavingen, ze ontsnappen als de woorden uit de mond van een stervende.

Om het Noorden terug te vinden, het noorden van de Middellandse Zee, het noorden van de Rio Grande, hebben ze geen kompas nodig, hun voorvaderen zijn hen voorgegaan, de weg staat in hun genen gegrift, ze hebben de moeite ervoor over, de kommer en ellende zijn bij voorbaat vergeven. In de landen van bestemming hebben veel bewoners het idee te worden overspoeld, maar wat kun je eraan doen, je gooit een drenkeling toch niet overboord.

Ik herinner me ooit eens een zonderlinge beeldspraak te hebben gelezen, geschreven door iemand met de beste bedoelingen. Onze planeet, zo zei deze schrijver, lijkt op een tweetrapsraket. Het ene gedeelte wordt losgekoppeld, valt weer naar beneden en splijt tijdens zijn val uiteen, terwijl het andere gedeelte alleen verdergaat en de ruimte in schiet, ongeschonden en van zijn ballast bevrijd.

Zelfs op het moment dat deze tekst werd gepubliceerd, zou het gemakkelijk zijn geweest om een ironisch commentaar te leveren door zich bijvoorbeeld voor te stellen wat er zou gebeuren als het onderste gedeelte van de aarde uiteen zou vallen terwijl het met een of andere bout die niet wilde loslaten aan het bovenste gedeelte zou blijven vastzitten... Maar de illusies die mijn tijdgenoten koesterden, waren net als die beeldspraak, naïeve, schaamtevolle, benepen en desondanks gerechtvaardigde illusies, zoals alle spontane overlevingsreacties dat zijn.

X

Boven vader en dochter hangt voortdurend de schaduw van het moment waarop ze van elkaar zullen worden gescheiden, dat kon ik niet negeren. Ik hoopte alleen maar dat ik dat niet op de ouderwetse manier hoefde mee te maken, waarbij ik bij de deur van een gebouw mijn arm moest aanbieden om Béatrice met een paar onhandige passen te vergezellen, haar hand aan die ander te geven en onder de blikken van de omstanders in de rij terug te treden... Nee, zei ik tegen mezelf, zo gaat het niet meer. Er komt geen kazuifel of sjerp meer aan te pas. Geen vaderlijke arm, geen genodigden. Als het gebeurt, zal er geen datum voor worden geprikt.

Uit de grootst mogelijke voorzorg had ik mijn gedachten daarover al in een heel vroeg stadium aan mijn dochter kenbaar gemaakt, nog vóór haar eerste liefde: haar kamer was háár kamer, had ik met nadruk gezegd, dit huis was háár huis, ze kon komen en gaan, zoals het haar uitkwam, alleen of met vrienden. Maar waarheen ze ook zou gaan, ze zou toch behoefte hebben aan de geruststellende gedachte in haar achterhoofd dat ze een thuishaven had waar ze tenminste een paar dingen uit haar jeugd zou bewaren. Dat had ze beaamd, ontroerd, en ze had me geliefkoosd met alle koosnaampjes waarvan ik hou. Ik was gerustgesteld en trots.

Alles welbeschouwd heeft het leven mijn bouwsels niet verwoed bestookt, alleen maar een beetje door elkaar geschud. Net genoeg om levend te blijven.

Toen Béatrice met Morsi bevriend raakte, kostte het mij geen enkele moeite om hem aardig te vinden. Zijn vader kwam uit Egypte en zijn moeder uit de Savoie; toch was zij degene geweest, zei hij, die hem die voornaam had willen geven waarmee hij graag de draak stak. 'Wanneer ik me voorstel, spreek ik mijn naam heel snel uit; mannen denken dat ik Marcel zeg en vrouwen Maurice!' Meteen bij onze eerste ontmoeting vertelde ik hem natuurlijk over mijn korte en enige bezoek aan zijn land ter gelegenheid van het symposium over de scarabee; hij bekende mij dat hij altijd in Frankrijk of Zwitserland had gewoond en dat hij maar twee keer een korte vakantie in Caïro had doorgebracht. Clarence was teleurgesteld toen ze hoorde dat hij nog nooit in Alexandrië was geweest, de stad waar haar wortels lagen – althans, daar ging ze prat op.

'Ik dacht dat jouw familie uit Saloniki kwam', reageerde Béatrice verbaasd.

'En ik dacht uit Odessa', zei ik vals.

Clarence legde haar hand op Morsi's schouder.

'Leg hun maar uit dat mijn vaderland een melkweg van steden is! Vertel hun dat jij en ik uit het licht van het Oosten zijn geboren en dat het Westen pas uit ons licht is ontstaan! Zeg hun dat dat Oosten van ons niet altijd in duisternis gehuld is geweest! Vertel hun over Alexandrië, Smyrna, Antiochië en Saloniki, en over de Koningsvallei, de Jordaan en de Eufraat. Of weet je daar soms niets van?'

Ze sprak met een mengeling van pathos en spot, en Morsi was treurig, zoals je dat kan zijn bij het zien van de tranen van een clown.

Maar zo treurig was hij niet vaak. Béatrice had hem ontmoet in het laboratorium waar ze net was aangenomen; hij werd er beschouwd als de slimste onderzoeker en de grootste grapjas, een plezierige combinatie waarvan ze meteen vanaf de eerste dag gecharmeerd was geraakt. Ze hadden dezelfde bronzen gelaatskleur, ze waren even groot en op een paar maanden na even oud; ze gaven je de indruk alsof ze hun hele leven al hand in hand hadden doorgebracht. Met zijn korte kroeshaar, zijn ovalen hoofd, een kopie van een of ander bas-reliëf uit de tijd van de farao's, en zijn oprechte, maar hoffelijke lach werd Morsi algauw in ons gezinsleven opgenomen.

Zijn ouders woonden in Genève en waren beiden farmacoloog, maar hij was onze buurman, want hij had een piepklein flatje gevonden vlak bij de plek waar in de Romeinse tijd een amfitheater heeft gestaan. Meer dan eens heb ik op het punt gestaan om hem, via Béatrice, voor te stellen bij ons te komen wonen, maar ik heb het nooit gedaan, want ik vond niet dat ik het recht had om de zaken te overhaasten of een formele status te geven.

Uit een soort oosterse schroom neem ik aan, heeft Morsi nooit in ons appartement geslapen; Béatrice daarentegen bleef vaak weg, vooral in het weekend. En op een dag, toen ik uit het museum thuiskwam, stonden haar spullen in dozen bij de deur. Clarence, die mijn onthutsing raadde, legde me uit dat onze dochter, nu ze vijfentwintig was, er behoefte aan had om haar leven met een man te delen. Ik was bijna in discussie getreden maar mompelde slechts een zielig 'Waarom?' dat in de lucht bleef hangen. Daarna sloot ik me waardig op in mijn werkkamer, vastbesloten er pas weer uit te komen als alle dozen waren verdwenen.

En ik vreesde nog wel dat het vertrek van Béatrice door een of andere plechtigheid in mijn geheugen zou worden gegrift... Het enige wat ik ervan merkte, waren dozen, stapels boeken, gevouwen kleren, ingelijste foto's, en daarna haar kamer die netjes was opgeruimd en die door haar afwezigheid voortaan op orde zou blijven. Ter afleiding inspecteerde ik mijn verzameling kevers en plakte hier en daar een losgeraakt etiket op zijn plaats.

Toen ik daar genoeg van had, en dat was pas tegen etenstijd, had ik de twee verplichte tranen geplengd; ik voldeed aan de norm. Zo is het nu eenmaal, wat hartsaangelegenheden betreft wordt geen voorziening voor een eventueel afscheid getroffen.

De volgende ochtend kwamen Béatrice en Morsi ontbijten, een tactvol gebaar dat ik waardeerde. Mijn dochter was opgewekt en maakte meer grapjes dan gewoonlijk, alsof ze me wilde laten blijken dat ze nog kind kon zijn, mijn kind.

Geen van ons vieren vermoedde dat ze al zwanger was. Ik zou het pas weken later tijdens een discussie terloops horen. Er waren toen net onderzoeken gepubliceerd over het lot van de vrouwen in Rimal en in andere landen op het zuidelijk halfrond. Men had kunnen denken dat zij zouden worden vereerd, verafgood en aanbeden omdat ze een uitstervend soort waren, maar ze werden alleen maar heftiger begeerd. Dat is misschien wel het ergste beeld dat de komende eeuwen van ons zullen bewaren: die vrouwen die werden opgesloten, besprongen, kostbaar eigendom van hun stam, inzet van bloedige twisten; ze konden niet zonder begeleiding de straat op, uit angst dat ze zouden worden verkracht of ontvoerd. 'We leven weer in de tijd van de Sabijnse maagdenroof!' constateerde ik.

Béatrice legde haar hand op die van Morsi terwijl ze zich liet ontvallen: 'Ik hoop dat het een jongen zal zijn!' Wat klonk die wens uit haar mond ongepast! Toch reageerde ik daar niet op, maar alleen op de mededeling zelf: ik stond onmiddellijk op, liep om de stoel heen waarin mijn dochter zat, boog me over haar heen en drukte mijn lippen op haar voorhoofd en mijn hand op haar nog platte buik. 'Ik ben al in de derde maand', lachte ze, om haar buik iets meer volume te geven.

Ik keek vanuit mijn ooghoeken naar Clarence, zij was net zo verrast als ik, maar reageerde anders.

'Is dit wel een geschikte eeuw om geboren te worden?'

's Avonds in onze slaapkamer maakte ik haar bittere verwijten over die woorden. Hoe groot de drama's van onze tijd ook mochten zijn, dat waren geen dingen om tegen een aanstaande moeder te zeggen. Béatrice stond aan het begin van een spannend en ingrijpend avontuur, we moesten haar niet met onze angstgevoelens lastig vallen; en het aanstaande kind verdiende zo'n welkom ook niet. Slechts één wezen op aarde zou me even dierbaar zijn als Béatrice, en dat was het kind van Béatrice. Ook al zou ik het leven moe zijn, dan nog zou ik voor twintig jaar bijtekenen, al was het alleen maar om dat schepseltje te zien opgroeien, om ermee te wandelen in het park en dat gezichtje te zien stralen als ik er een suikerspin voor hield.

Clarence vlijde zich tegen me aan.

'Je staat in vuur en vlam vanavond, hou me vast, ik wil je liefde in mij opnemen, al je liefde, voor mij, voor Béatrice en voor het kind van Béatrice.'

De liefde als uitvlucht, haar armen om mij heen als doorslaggevend argument en het vooruitzicht van een heerlijke nacht, hoe zou ik me kunnen beklagen over deze afleidingsmanoeuvre? Clarence heeft mijn lichaam altijd voor haar zaak weten te winnen; tot de volgende ochtend zouden mijn gedachten zich gedeisd houden.

De volgende ochtend gaf ze me trouwens gelijk. Niet zozeer in de kern van de zaak – ze heeft nooit mijn gelukzalige verrukking over kleine kinderen kunnen delen – maar tenminste wel wat betreft de manier waarop we ons tegenover onze dochter moesten opstellen. Toch voegde ze er bij wijze van 'nota bene' koppig en peinzend aan toe: '...maar Béatrice heeft gelijk dat ze onder deze omstandigheden een jongen wil krijgen.'

'Welke omstandigheden? We zijn hier niet in Rimal of in Naiputo, voorzover ik weet!'

'Zeker niet, maar we wonen op dezelfde planeet. Is het nog mogelijk om het kwaad tegen te houden? Haat is besmettelijk, recessie kan dat ook zijn.'

Ik heb de meningen van Clarence nooit luchthartig aangehoord. Ze had de neiging om het rampzaligste scenario eruit te lichten; helaas had de geschiedenis soms diezelfde akelige neiging. Geen van beiden verloren zich in analyses, ze beperkten zich tot het vellen van vonnissen.

Clarence en de geschiedenis, twee persoonlijkheden in mijn leven, vaak elkaars handlanger, de een door een enorme helderheid van geest en de ander door een enorme verblinding.

Y

De wens van Béatrice werd vervuld, ze kreeg een jongen die ze Florian noemde. Toen ik een uur na de bevalling naar haar toe ging, trof ik tot mijn verbazing gewapende agenten in de gang aan. Ik had wel eens gezien, maar dan in een film en niet in werkelijkheid, dat er agenten in een ziekenhuis werden gepost om een zieke gevangene te bewaken, de wacht te houden bij het slachtoffer van een aanslag of om iemand die bedreigd werd te beschermen. Maar in een kraamkliniek? Mijn eerste veronderstelling was dat er een gevangene heen was gebracht om te bevallen. Morsi hielp me uit de droom: 'Het is vanwege de geruchten.'

'Welke geruchten?'

O ja! Nu herinnerde ik het me. Sinds een paar maanden gingen er geruchten dat kleine meisjes door benden smerige handelaars zouden zijn ontvoerd om te worden 'verkocht' in streken waar er te weinig waren. Ik had mijn schouders opgehaald en in zekere zin had ik geen ongelijk. De psychose die door die geruchten was ontstaan, stond in geen verhouding tot de vastgestelde feiten. Door de bank genomen verdwenen er elk jaar wel een paar kinderen en jonge vrouwen; bij mijn weten had niemand ooit kunnen bewijzen dat dergelijke ontvoeringen in de loop van de jaren waarover ik spreek aanzienlijk waren toegenomen.

Maar ik onderschatte de reikwijdte van de angst die om zich heen greep. Misschien was ik er meer bedacht op geweest als Béatrice een meisje had gekregen.

Achteraf gezien is deze angst maar al te begrijpelijk. In het Noorden werden de door de 'stof' gestigmatiseerde generaties volwassen. Ik heb al uitgelegd op wat voor manier het ergste had kunnen worden voorkomen en ik wijs er hier nogmaals op dat de wanverhouding tussen het aantal jongens en meisjes beperkt bleef vergeleken bij de evenwichtsverstoringen op het zuidelijk halfrond. Toch was deze wanverhouding niet onbeduidend en volgens de deskundigen lag die ten grondslag aan een plotseling toenemende criminaliteit onder jongeren. Sommige samenlevingen hadden na de beide wereldoorlogen perioden gekend waarin er te veel vrouwen waren geweest; ondanks de ontreddering, ondanks de ontberingen en de rantsoenmaatregelen ging het, uit historisch oogpunt gezien, om vreedzame perioden waarin de mensheid weer op adem kwam. Tot nu toe had niemand op ware grootte samenlevingen kunnen bestuderen waarin een overweldigend overschot aan jongemannen bestond.

Als deze evenwichtsverstoring zich onder normale omstandigheden had voorgedaan, had men er misschien rustiger op kunnen reageren. Dat was bepaald niet het geval. Na de gebeurtenissen in Rimal had er een storm van angst in de wereld gewoed, eeuwenoude contacten waren plotseling verbroken, andere waren op een laag pitje gezet, de aarde was duidelijk gekrompen, verschrompeld als een zieke of rotte appel. Rimal was vroeger het symbool van een zekere welvaart geweest; de teloorgang daar had met oorverdovend geraas de komst aangekondigd van een nieuw tijdperk, een tijdperk van regressie en ontgoocheling.

Ik geef de voorkeur aan deze begrippen boven het woord 'krach', waaraan sommige, weinig inventieve tijdgenoten blijven vasthouden. Niet dat ik iedere gelijkenis met de zwarte donderdag in 1929 en met alle serieuze angstsyndromen uit de afgelopen eeuw afwijs. Maar vergelijkingen verhullen evenveel als ze onthullen, de eeuw van Béatrice is zonder weerga, ook al zien we op sommige punten wel overeenkomsten met een aantal monsterlijke gebeurtenissen uit het verleden.

Economen leggen beter uit dan ik dat zou kunnen doen op wat voor manier de ineenstorting van het Zuiden de welvaart van het Noorden aan het wankelen heeft gebracht; zij kunnen de paniek op de beursvloeren beschrijven, de stroom van faillissementen, de ondernemers die het hoofd niet boven water konden houden, de zelfmoorden; er zijn boeken verschenen waarin de cijfers van de nieuwe armoede netjes op een rijtje worden gezet.

Maar cijfers doen niet anders dan stamelend weergeven wat het straatbeeld ons luidkeels naar het hoofd schreeuwt, de aanblik van al die lege straten, kil van ontzetting. Door een grote straat in Parijs lopen, waar het vroeger wemelde van de mensen, en ontdekken dat je de enige op straat bent, je eigen voetstappen horen, je begluurd voelen, misschien benijd omdat je een nieuwe regenjas aanhebt, langs een café komen, ontdekken dat je er niet in kunt omdat het met een ijzeren rolgordijn is afgesloten, in een ander café komen en de barman gelaten wat clichés toefluisteren, dat is de geest van de eeuw van Béatrice.

Die geest heeft echter niet overal op hetzelfde moment postgevat. De armoede heeft er jaren over gedaan om zich te verspreiden, alsof het een epidemie betrof met een traag werkend maar absoluut besmettelijk virus. De mensen hebben hun leefgewoonten eraan aangepast: velen konden zichzelf nauwelijks in leven houden; degenen die wel geld konden uitgeven, durfden dat niet of schaamden zich ervoor; in de grote steden volgde de ene uitbarsting van geweld op de andere, het platteland sloot zich steeds meer af.

De geruchten van ontvoeringen waren slechts een symptoom van het kwaad. De bewaking in kraamklinieken, bij kinderdagverblijven en scholen werd verscherpt; elke dag dankte ik de hemel dat Béatrice een jongen had gekregen; ouders met dochters moesten hen onophoudelijk vergezellen, zelfs als ze op de middelbare school zaten, en bij voorkeur met meer dan één persoon.

Alle regeringen in het Noorden moesten steeds meer geld aan veiligheid uitgeven, maar hoewel die extra voorzieningen sommigen ervan weerhield om misdaden te begaan, herinnerden ze tegelijk het 'gewone' volk aan de alom heersende onveiligheid, waardoor niemand meer de straat op durfde te gaan.

De mensen bleven dus thuis en brachten daardoor winkeliers, eigenaars van restaurants en organisatoren van culturele activiteiten aan de rand van de afgrond. En wat deed men thuis? Kijken naar de televisie, waar dagelijks verslag werd gedaan van gewelddadigheden, allereerst die in de eigen woonplaats en de naburige streken, en vervolgens het geweld dat verder weg maar even angstaanjagend aanhield in de landen op het zuidelijk halfrond.

Dit tijdperk van regressie en ontgoocheling werd – waarom zou ik trouwens in de verleden tijd spreken? – het wordt nog steeds gekenmerkt door argwaan en een mentaliteit van alles over één kam scheren. Iemand met een bruine huid of met kroeshaar of gewoon een buitenlander wordt beschouwd als de wandelende overbrenger van geweld. Ik heb de dingen nooit op die manier bekeken en zal dat ook nooit doen. De vrouw die ik heb gekozen en aan wie ik mijn hart heb verpand, de dochter die zij me heeft geschonken, de schoonzoon die ik in mijn gezin heb verwelkomd en opgenomen, alledrie behoren ze tot de bruine mengelmoes van migranten en ikzelf, door mijn verbintenis met hen, uit liefde, uit overtuiging of uit temperament, heb me er altijd solidair mee gevoeld. Maar toch zou ik mijn angstige buren niet hebben veroordeeld. Ik minacht hen niet om hun afstandelijkheid. En ik hoed me ervoor in discussie te treden; zij hebben de schijn van de feiten aan hun kant. Zij zijn van mening dat ze worden overspoeld door de ellende in de wereld en door de wrok en verbittering die deze ellende met zich meevoert, de schandelijke bagage waarvan sommige migranten zich niet durven ontdoen.

Wat zou ik hebben gezegd als de mensen nog zouden luisteren? Dat onze voorouders een aandeel in de schuld hebben gehad? En wij het onze, dat loodzwaar op onze schouders rust?

Dat armoede een even slechte raadgeefster is als weelde? Dat het heil zal komen voor de gehele wereld of niet? Dat... Maar zulke taal is niet meer van deze tijd. Omdat men niets tegen lepra kan uitrichten, keert men zich tegen de leprozen en trekt muren op om ze in quarantaine te houden. Eeuwenoude wijsheid, eeuwenoude dwaasheid.

Z

Zou ik, na wat ik zojuist heb opgeschreven, durven toevoegen dat alle ellende in de wereld me nagenoeg precies heeft gebracht op het punt waar ik had willen uitkomen?

Ik zal mezelf nader verklaren. Vroeger stelde Clarence zich haar, of beter, ons bestaan als gepensioneerden voor als één lange reis om de wereld. Om te herstellen van haar reiskoorts, dacht ze dat ze niet een zittend leven nodig had, maar een andere manier van op reis gaan naar diezelfde landen – bezadigder, zonder horloge of notitieboekje, zonder welke verplichting dan ook, zelfs niet de verplichting om te genieten, een aaneenschakeling van serene zwerftochten, meer niet.

De gebeurtenissen hebben haar oosterse dromen aan scherven gegooid, haar beeld van de tropen in stukken gescheurd, ontsnappen werd haar onmogelijk gemaakt, enigszins door haar eigen situatie, maar vooral door de toestand in de wereld.

In de tijd dat haar plannen nog zin hadden, sprak Clarence er met mij over, 's avonds na haar vermoeiende werkdagen. Ik liet haar rondzwerven; op zulke momenten pakte ik haar voorzichtig bij haar middel alsof we zonder te bewegen een wandeling maakten; met mijn hoofd naar achteren keek ik naar haar stralende gezicht en kuste alleen haar nog nauwelijks zilver gekleurde haren en haar naakte, bruine schouders, voor geen goud ter wereld zou ik haar gezichtsveld hebben willen belemmeren.

En ik sprak haar natuurlijk niet tegen, hoewel ik me een volstrekt andere voorstelling van onze pensionering maakte; zij dacht aan een lui en zwervend bestaan, ik aan een honkvast bestaan, omringd door boeken, met een microscoop in een schuur in de Savoie. Maar ik zou mijn vrouw niet tot dit kloosterbestaan hebben gedwongen, ik zou haar eerst op haar reizen hebben vergezeld; daarna, naarmate we ouder werden, zou zij mij naar mijn schuur hebben vergezeld. Het lot heeft beslist dat we één etappe moesten overslaan, de hare.

Mijn dromen vertoefden al jaren in de omgeving van de Alpen; die van Clarence zouden zich bij hen voegen. We verlangden er nu allebei naar om in deze uitkijkplaats op het dak van Europa te gaan leven; misschien zouden we in deze retraite onze helderheid van geest kunnen behouden, het allerlaatste restje waardigheid van mensen die oud worden.

Toen Béatrice dertig was heb ik mijn boeken, mijn instrumenten, mijn insectenverzameling en mijn winterkleren naar Les Aravis overgebracht. Daardoor werd het vakantieoord ingewijd als vaste verblijfplaats voor alle seizoenen die ik nog te leven had.

Ik kon de stad niet langer verdragen. De mensen scheerden schichtig langs de muren, ze hadden donkere wallen onder hun ogen en een uitgebluste blik; ik stel me voor dat het zo was in de Tweede Wereldoorlog toen de nachten koud waren en er geen steenkool was om te stoken. Maar nu speelde oorlog noch koude een rol. Nu was het moeheid. Het gevoel van verslagenheid zonder de opwinding van de strijd. De kou knaagde vanbinnen en geen enkel vuur kon de mensen verwarmen.

Ik herkende de mensen niet meer, de straten evenmin, soms schrok ik op bij het horen van mijn eigen gedachten. Angst kan monsters baren.

Mijn angst was tweeledig. Als stedeling bekeek ik iedere

onbekende, elke samenscholing met wantrouwen; kon ik maar met één gebaar alle voorbijgangers die mij met hun schaduw angst aanjoegen in rook laten opgaan... Op een winteravond zag ik op de hoek van mijn straat een groepje jongeren die op de stoep een soort vreugdevuur hadden aangestoken dat zachtjes knetterde; vroeger zou ik er plezier om hebben gehad en een vriendelijk grapje tegen hen hebben gemaakt; in plaats daarvan liep ik nu met een grote boog om hen heen, en voordat ik mijn flatgebouw binnenging wierp ik hen uit de verte een blik vol haat toe.

Toen ik eenmaal thuis was en mijn geblindeerde voordeur met drie sloten had gebarricadeerd, liet ik die andere angst de vrije loop, die angst voor mijzelf, voor wat de ontluisterde stad van mij had gemaakt, die angst en schaamte voor de blik waarmee ik naar mijn soortgenoten en de wereld keek.

Ik moest weg, zo snel mogelijk, om in afzondering rust en kalmte te hervinden. Als ik de mensen eenmaal was ontvlucht, zou ik misschien opnieuw van hen leren houden.

Het enige wat me de laatste tijd nog aan Parijs verbond, was de aanwezigheid van Béatrice, Florian en Morsi. Als ik een veilig heenkomen zou zoeken, moesten al mijn dierbaren met me meegaan.

Doorgaans heb ik de neiging om de mensen, zelfs mijn naaste familieleden, hun eigen gang te laten gaan, aangezien anderen respecteren, zelfs hun dwalingen, voor mij altijd een soort elfde gebod is geweest. Dit keer besloot ik dat gebod echter te overtreden, ik drong aan, bespeelde alle snaren van liefde en vrees om mijn dochter tot een beslissing te dwingen. Morsi werd op dezelfde wijze bestookt door zijn eigen ouders, die hem en Béatrice een baan in Genève aanboden; dan zouden ze op minder dan een uur reizen van Les Aravis wonen. Tot mijn grote opluchting gaven ze uiteindelijk toe. En pas toen ze allemaal bij mij in de buurt zaten, kreeg ik opnieuw zin in het leven en kon ik weer aan het werk gaan.

Ik had nog niet het plan opgevat om in een boek verslag van alle gebeurtenissen te doen. De tijd die ik niet aan mijn familie besteedde, bracht ik bij voorkeur achter mijn microscoop met mijn verzameling kevers door. En als ik eens toevallig een brief van André Vallauris, een krantenknipsel of een gekopieerd artikel in een van mijn dozen tegenkwam, stopte ik het in een la na er hooguit een vluchtige blik op te hebben geworpen.

Wanneer ben ik op het idee gekomen om mezelf als kroniekschrijver op te werpen? Misschien domweg op de dag dat ik een dik en nog onbeschreven schrift vond, dat waarschijnlijk stamt uit het geboortejaar van Béatrice. Dat schrift bleef een paar weken op mijn tafel liggen zonder dat ik ertoe kon komen het weg te gooien of op te ruimen. Toen, op een dag, begon ik het door te bladeren met een pen in mijn hand en voordat ik het in de gaten had, was ik de eerste regels aan het schrijven.

Weldra, zonder het aan iemand te vertellen, zelfs niet aan Clarence – misschien was ik er tot op het eind niet zeker van of ik een taak die zo verschilde van mijn bezigheden als entomoloog, tot een goed einde zou kunnen brengen – weldra kreeg ik de gewoonte om me urenlang op te sluiten en pagina na pagina vol te schrijven op de maat van de herinneringen die kwamen bovendrijven, gerangschikt in hoofdstukken die elkaar als de letters van het alfabet opvolgden, van a tot z…

Nu ben ik bijna aan het eind van mijn verhaal en ik heb het gevoel dat er langzaam maar zeker een last van me afvalt waarvan ik niet had vermoed dat die zo zwaar op mijn schouders zou drukken. Zal dit relaas ooit gepubliceerd worden? Zal iemand zich ervoor interesseren? En zo ja, over hoeveel jaar? Daar heb ik niets meer mee te maken, heb ik de neiging te zeggen. Wat er ook mee zal gebeuren, mijn rol is bijna uitgespeeld. Wanneer je een fles in zee werpt, hoop je natuurlijk dat iemand hem zal opvissen, maar je gaat niet met hem meezwemmen.

Bovendien – en ik schaam mij absoluut niet om dat te zeggen – is mijn enige zorg op dit moment mijn eigen familie voor de onlusten in de wereld te beschermen, zo goed mogelijk te behoeden voor geweld en ontmoediging, en ervoor te zorgen dat levensvreugde een plaatsje krijgt in mijn piepkleine koninkrijk in Les Aravis.

Na eindeloze dagen van noeste arbeid in mijn vrije tijd is mijn schuilplaats in Les Aravis een zeer wel bewoonbaar plekje geworden; in mijn ogen is het een soort Ararat – u weet wel, die berg in Oost-Turkije waar de ark van Noach zou zijn gestrand. De angst stijgt in de wereld als het water van de zondvloed, voor degenen die op het droge blijven is het misschien een indrukwekkend schouwspel.

Indrukwekkend, dat woord moet bepaald cynisch klinken! Toch heeft elke tragedie, elke Apocalyps iets indrukwekkends... Maar ik moet toegeven dat ik voor de eeuw van mijn levensavond op andere betoveringen en andere verrukkingen had gehoopt.

Hoe vaak heb ik mezelf niet afgevraagd hoe we zover hebben kunnen komen. Op de voorgaande pagina's heb ik gebeurtenissen, indrukken, schijnbare oorzaken op een rijtje gezet. Terwijl ik me opmaak om het toneel te verlaten, zonder haast maar ook zonder spijt, kan ik nog steeds niet zeggen of het lot op een gegeven moment een andere wending had kunnen nemen en had kunnen worden geleid in een richting die meer strookte met de dromen van de mensen. Hoe vaak ik mijn verslag en tal van andere teksten uit de afgelopen jaren ook herlees, mijn verbijstering blijft bestaan en wordt soms zelfs een obsessie. Was alles wat er is gebeurd dan onvermijdelijk? Het lijkt me niet, onwillekeurig denk ik toch dat er andere wegen waren...

Ik mijmer vaak over die voorbije toekomst. Soms word ik tijdens mijn dagelijkse wandelingen over de paden van mijn berghelling door mijn overpeinzingen meegevoerd en keer ik zomaar zestig jaar in de tijd terug, ver voor het begin van de eeuw van Béatrice; dan probeer ik me voor te stellen welke wegen de ergerlijke soort waartoe ik behoor had kunnen volgen...

In de tijd die mijn wandeling duurt, bouw ik dan een andere wereld op. Een wereld waarin vrijheid en welvaart zich steeds verder zouden hebben verspreid als golven op het wateroppervlak. Een wereld waarin de medische wetenschap, nadat zij alle ziekten had overwonnen en alle epidemieën meester was geworden, geen andere uitdaging meer zou hebben gehad dan ouderdom en dood steeds verder terug te dringen. Een wereld waar onwetendheid en geweld zouden zijn uitgebannen. Een wereld waarin de laatste duistere vlekken zouden zijn uitgewist. Ja, een eensgezinde, edelmoedige, zegevierende mensheid met haar ogen op de sterren, op de eeuwigheid gericht.

Als ik tot die soort had behoord, zou ik trots zijn geweest.

Op een dag, binnenkort, zal ik niet meer van mijn wandeling terugkeren. Dat weet ik, ik wacht op dat moment zonder het te vrezen. Ik zal langs een bekende weg van huis gaan. Mijn gedachten zullen luchtsprongen maken, niet meer in toom te houden zijn. Plotseling, uitgeput door al die hersenspinsels, in de roes van de opwinding, zal mijn hart beginnen te horten en te stoten. Ik zal tegen een mij vertrouwde eik aanleunen.

Daar, in die toestand, een mengeling van verdoving en opperste sereniteit, zal ik, heel even, de mooiste illusie van mijn leven krijgen: de wereld zoals ik die heb gekend, zal een banale nachtmerrie lijken en de wereld van mijn dromen zal werkelijkheid worden. Ik zal er opnieuw in gaan geloven, steeds iets meer. Die wereld zal mijn blik nog eenmaal omvatten. Een kinderlijke glimlach zal mijn baard, die de kleur van de bergen heeft gekregen, doen oplichten. En in alle rust zal ik mijn ogen sluiten.

Amin Maalouf bij De Geus

De omzwervingen van Baldassare

De sympathieke boekenverzamelaar en handelaar in curiositeiten Baldassare Embriaco gaat in 1665 vanuit Libanon op zoek naar een zeldzaam boek dat hij even in zijn bezit heeft gehad maar weer is kwijtgeraakt. Het gaat om het boek dat de honderdste naam van Allah onthult, als aanvulling op de negenennegentig namen die in de Koran worden opgesomd. Wie die honderdste naam kent, zal verzekerd zijn van het eeuwige leven.

Oorsprong

Na de dood van zijn vader onderzoekt Amin Maalouf wat er waar was van de legendes die over zijn grootvader de ronde deden. Zijn zoektocht brengt hem naar Libanon, Cuba en de Verenigde Staten. Hij verhaalt van het leven in het Osmaanse Rijk, de gevolgen die de Eerste Wereldoorlog had voor het Midden-Oosten, de hongersnood, de komst van Atatürk, en de onophoudelijke strijd tussen de diverse soorten katholieken en de diverse soorten protestanten in Libanon.